CU00660327

O MICE AN MEN

MAIR BEUKS IN SCOTS AVAILABLE FRAE EVERTYPE

Fey Case o Dr Jekyll an Mr Hyde, by Robert Louis Stevenson, tr. Sheena Blackhall, 2018.

The Winnerfu Warlock o Oz, by L. Frank Baum, tr. Sheena Blackhall, 2018.

Jean Eyre, by Charlotte Brontë, tr. Sheena Blackhall & Sheila Templeton, 2018.

Mou Her Name, Gabriel Rosenstock's *Uttering Her Name*, tr. John McDonald, 2018.

Ahlice's Aveenturs in Wunderlaant, *Alice* in Border Scots, tr. Cameron Halfpenny 2015

Alice's Mishanters in e Land o Farlies, *Alice* in Caithness Scots, tr. Catherine Byrne 2014

Alice's Adventirs in Wunnerlaun, *Alice* in Glaswegian Scots, tr. Thomas Clark, 2014

Ailice's Anters in Ferlielann, *Alice* in North-East Scots, tr. Derrick McClure, 2012

Alice's Adventirs in Wonderlaand, *Alice* in Shetland Scots, tr. Laureen Johnson, 2012

Ailice's Àventurs in Wunnerland, *Alice* in SE-Central Scots, tr. Sandy Fleemin, 2011

Ailis's Anterins i the Laun o Ferlies, *Alice* in Synthetic Scots, tr. Andrew McCallum, 2013

Alice's Carrànts in Wunnerlan, *Alice* in Ulster Scots, tr. Anne Morrison-Smyth, 2013

Alison's Jants in Ferlieland, *Alice* in West-Central Scots, tr. James Andrew Begg, 2014

Eachdraidh Ealasaid ann an Tìr na Iongantas, *Alice* in -Gaelic, tr. Moray Watson, 2012

O MICE AN MEN

BY

JOHN STEINBECK

OWERSET INTAE NOR-EAST SCOTS BY

SHEENA BLACKHALL

evertype

2018

Furthpitten by/*Published by* Evertype, 19A Corso Street, Dundee, DD2 1DR, Scotland. *www.evertype.com.*

Oreiginal title/*Original title*: *Of Mice and Men.*

Copyricht/*Copyright* © 1937 John Steinbeck
Copyricht renewed/*Copyright renewed* 1965 by John Steinbeck
Iss owersettin/*This translation* © 2018 Sheena Blackhall
Iss edeetion/*This edition* © 2018 Michael Everson

Sheena Blackhall hes assertit her richt accordin tae the Copyricht, Designs an Patents Act, 1988, tae be kent for the owersetter o iss wark.
Sheena Blackhall has asserted her right under the Copyright, Designs and Patents Act, 1988, to be identified as the translator of this work.

First edeetion/*First edition* 2018.

Aa richts resair't. Nae pairt o iss furthpittin beed tae get copy't, hainit in ony gain-takin seistem, or transmittit, in ony form or in ony wye, electronic, mechanical, photiecopyin, recordin, or iddergaits, on-socht permeission in a scrievit blad fae the furthpitter, or ense jist azacly as the laa allous it, or daen exactly as allooed by the laa, or haaden tae terms gree't wi fitiver body hes the pouer tae determine anent the richts o reprographics.
All rights reserved. No part of this publication may be reproduced, stored in a retrieval system, or transmitted, in any form or by any means, electronic, mechanical, photocopying, recording, or otherwise, without the prior permission in writing of the Publisher, or as expressly permitted by law, or under terms agreed with the appropriate reprographics rights organization.

A catalogue record for iss byeuk can be gotten fae the Breitish Byeukbeild.
A catalogue record for this book is available from the British Library.

ISBN-10 1-78201-229-X
ISBN-13 978-1-78201-229-0

Typeset in Janson Text & **CANCUN** by Michael Everson.

Batter/*Cover*: Michael Everson. "Blue, blue bunny" © 2009 Wendy D. Stolyarov.

Prentit by/*Printed by* LightningSource.

O MICE AN MEN

1

A fyew miles sooth o Soledad, the Salinas Watter draps in close by the brae on the Ben an rins deep an green. The watter is warm tae, for it his treetlit glimmrin ower the yalla sans in the sunlicht afore reaching the nerra puil. On ae side o the watter the gowden fitknowe braes raxx up tae the strang an steeny Gabilan bens, bit on the glen side the watter is lined wi trees—sauchs caller an green wi ilkie spring, cairryin in their laigher leaf prongs the smush o the winter's floodin; an sycamores wi spottit, fite, doonlyin boughs an branches that raxx abune the puil. On the sanny bank aneth the trees the leaves lie deep an sae crackly that a lizard maks a muckle skitterin gin he rins amang them. Mappies cam ooto the busses tae hunker doon on the san in the gloamin, an the weety flats are merkit wi the nicht tracks o coons, an the spreid pads o tykes frae the ranches, an wi the split-wedge fitprents o deer that cam tae drink in the derk.

There's a pathie ben the sauchs an amang the sycamores, a pathie duntit hard by loons comin doon frae the ranches tae sweem in the deep puil, an duntit hard by gangrels fa cam trauchelt doon frae the highwye in the gloamin tae bide a while near watter. Afore the laigh horizontal airm o a muckle sycamore, there's a howpie o aisse vrocht by mony lowes; the bough is worn smeeth by chiels fa hae dowpit upon't.

The eyn o a hett day stertit the wee win tae meevin amangst the leaves. The shaddas sclimmed up the knowes tae the tap. On the san banks the mappies cockit as quaet as wee grey sculpturt steens. An syne frae the airt o the state highwye cam the soun of fitsteps on crackly sycamore leaves. The mappies hashed awa sounlessly tae hide. A lang-shanked heron warssled up inno the air an skelpit doon watter. For a meenit the airt wis lifeless, an syne twa chiels cam ooto the pathie an inno the openin by the green puil.

They'd wauked in single file doon the pathie, an even in the open ane bedd ahin the ither. Baith wir riggit oot in denim troosers an in denim jaikets wi braiss buttons. Baith wir weirin blaik, shapeless hats an baith cairried ticht blanket rolls flang ower their showders. The first chiel wis sma an gleg, derk o physog wi dertin een an sherp strang features. Ilkie pairt o him wis weel set oot: smaa, strang hauns, skinnymalink airms, a thin an beeny neb. Ahin him wauked his opposite, a muckle chiel, wi a shapeless physog, wi muckle pale een an wide slopin showders; an he wauked

2

wechty-like, trailin his feet a thochtie, the wye a bear drags its paas. His airms didna swing at his sides, bit hung lowse.

The first chiel stoppit short in the clearin, an the secunt near ran ower him. He tuik aff his hat an dichtit the swyte-ban wi his forefinger an snippit the weet awa. His muckle frien drappit his blankets an flang hissel doon an drank frae the surface o the green puil; drank wi lang gluggers, snortin inno the watter like a cuddy. The wee chiel steppit nervous-like aside him.

"Lennie!" quo he sherpish. "Lennie, for God's sake dinna drink sae muckle." Lennie cairriet on snortin inno the puil. The wee chiel raxxed ower an shuik him by the showder. "Lennie. Yer gaun tae be seek like ye wis last nicht."

Lennie drappit his hale heid unner, hat an aa, an syne he hunkered doon on the bank an his hat dreepit doon on his blue jaiket an ran doon his back. "Thon's gweed," quo he. "Ye drink a suppie, George. Ye tak a gweed lang skoof." He smiled blythely.

George tuik aff his pyoke an drappit it cannie-like on the bank. "I'm nae sure it's gweed watter," quo he. "Luiks kinda orra."

Lennie plytered his muckle paa in the watter an wummlit his fingers sae the watter rose in wee splooters; rings raxed ower the puil tae the ither side an cam back again. Lennie watched them gyang. "Luik, George. Luik fit I daen."

George booed doon aside the puil an drank fae his haun wi quick scowps. "Tastes aa richt," he agreed. "Disnae really

3

seem tae be rinnin, though. Ye should niver drink watter fin it's nae rinnin, Lennie," quo he, hopeless-like. "Ye'd drink ooto a drain gin ye'd a drooth." He haived a scowp o watter inno his physog an rubbed it aboot wi his haun, aneth his chin an aroon the back o his neck. Syne he pit back on his hat, sat back frae the watter, drew up his knees an bosied them. Lennie, fa'd bin watchin, copied George exact. He sat back, drew up his knees, an bosied them, luikit ower tae George tae see gin he'd gotten it richt. He pued his hat doon a thochtie mairower his een, the wye George's hat wis.

George glowered dowie-like at the watter. The rims o his een wis reid wi sun glare. Quo he, roosed, "We cud jist as weel hae ridden aa the wye tae the ranch gin thon bastart bus driver kent fit he wis spikkin aboot. 'Jist a wee streetch doon the highwye,' he telt us. 'Jist a wee streetch.' God damn near fower miles, thon's fit it wis! Didnae wint tae stop at the ranch yett,that wis the wye o't. Ower God damn lazy tae pu up. It's a winner he isnae ower damn gweed tae stop in Soledad at aa. Haives us oot an says 'Jist a wee streetch doon the road.' I's warrant it was mair than fower miles. Dashed hett day."

Lennie keeked fearie-like ower tae him. "George?"

"Ay. Fit dae ye wint?"

"Far are we gaun, George?"

The wee chiel yarked doon the brim o his hat an glowered ower at Lennie. "Sae ye forgot thon aathegither, did ye? I'll

4

hae tae tell ye again, dae I? Jesus Christ, yer a muckle sumph!"

"I forgot," quo Lennie saft-like. "I tried nae tae forget. Honest tae God I did, George."

'Aa richt. Aa richt. I'll tell ye again. I hinna got naethin tae dae. Micht jist as weel spen aa ma time tellin ye things an syne ye forget them, an I tell ye again."

"Tcyaaved an tcyaaved," quo Lennie, "bit it didna dae ony gweed. I myne aboot the mappies, George."

"The Deil tak the mappies. Thon's aa ye iver myne aboot is thon mappies. Aa richt. Noo ye listen, an this time ye hae tae myne, sae we dinna get intae ony tribble. Ye myne dowpin doon in thon sheugh on Howard Street an watchin thon blackboord?'

Lennie's mou brak inno a delichtit smile. "I myne, George. I myne thon... bit... fit'd we dae eftir thon? I myne a puckle quines cam by an ye said... ye said..."

"Deil cares fit I said. Ye myne aboot us gaun intae Murray an Ready's, an they gied us wirk cairds an bus chitties?"

"Oh, aye, George. I myne thon noo." His hauns gaed quick inno his side jaiket pooches. Quo he saftly, "George... I hinna got mine. I maun hae tint it." He luikit doon at the grun fair disjaskit.

"Ye niver hid nane, ye gype. I've got baith o them here. D'ye think I'd lat ye cairry yer ain wirk caird?"

Lennie grinned wi relief. "I... I thocht I pit it in my side pooch." His haun gaed inno the pooch again.

George luikit sherp at him. "Fit did ye tak oota thon pooch?"

"There's naethin in ma pooch," quo Lennie, sleekit like.

"I ken there's nae. Ye hae it in yer haun. Fit are ye hidin in yer haun?'

"I hinna got naethin, George. Honest."

"Cam ower here, gie's it here."

Lennie pued his steekit nieve awa frae George's airt. "It's anely a moose, George."

"A moose? A live moose?"

"Mphm. Jist a deid moose, George. I didnae kill it. Honest! I fand it. I fand it deid."

"Gie it here!" George telt him.

"Ach, lat me hae it, George."

"*Gie it here!*"

Lennie's steekit nieve slawly opened. George tuik the moose an haived it ower the puill tae the other side, amang the busses. "Fit wye dae ye wint a deid moose onywye?' he speired.

"I cud pet it wi ma thoom fin we wauked alang," quo Lennie.

"Weel, yer nae pettin nae moose fin ye wauk wi me. Ye myne far we're gaun noo?"

Lennie luikit dumfounet an syne in affront, he hid his physog agin his knees.. "I forgot again."

"God Almichty," George said wi a grue. "Weel—luik, we're gaun tae wirk on a ranch like the ane we cam frae up north."

"Up north?"

"In Weed."

"Oh, aye. I myne noo. In Weed."

"That ranch we're gaun tae is richt doon there aboot a quarter o a mile. We're gaun tae gyang in an see the heid bummer. Noo, tak tent—I'll gie him the wirk chitties, bit yer nae gaun tae say a wird. Ye jist staun thonner an dinna say naethin. Gin he fins oot fit a daftie ye are, we winna get nae job, bit gin he sees ye wirk afore he hears ye spikk, we're dandy. Are ye takkin this in?"

"Ay, George. I'm takkin it in."

"Aa richt. Noo fin we ging in tae see the heid bummer, fit are ye gaun tae dae?"

"I… I," Lennie thocht. His physog grew ticht wi thocht.

"I… winna say naethin… I'm jist gaun tae staun thonner."

"Gweed loon. Thon's gran. Ye say thon ower twa, three times sae ye winna forget it."

Lennie mummlit tae hissel saftly, "I winna say naethin… I winna say naethin… I winna say naethin,"

"Ah richt," quo George. "An ye winna dae nae coorse things like ye did in Weed, either.'

Lennie luikit dumfounert. "Like I did in Weed?"

"Och, sae ye forgot thon as weel, did ye? Weel, I winna remind ye, for fear ye dae it again."

A licht o kennin brukk on Lennie's physog. "They drave us ooto Weed," he cried triumphant-like.

"Drave us oot, be dampt," quo George wi a grue. "We ran. They wis luikin' for us, bit they didna catch us."

Lennie keckled blythely. "I didna forget thon, be jings."

George lay back on the san an crossed his hauns aneth his heid, an Lennie aped him, heistin his heid tae see whether or nae he wis daein it richt. "By God, yer a rowth o tribble," quo George. "I cud toddle alang fine an dandy gin I hidna you tae tak tent o. I cud live easier an mebbe hae a quine."

Fur a meenit Lennie lay quaet, an syne quo cheerie-like, "Were gaun tae wirk on a ranch, George.'

"Aa richt. Ye jalouse thon noo. Bit we're gaun tae sleep here because I hae a rizzen."

The day wis gaun faist noo. Anely the taps o the Gabilan Bens bleezed wi the licht o the sun that hid gaen frae the glen. A watter snake skytit alang on the puil, its heid held heich like a wee periscope. The seggs yarked slichtly in the current. Hyne awa nearhaun the highwye a chiel skirled somethin, an anither chiel skirled back. The sycamore airms reeshled unner a wee win that deed straicht aff.

"George—foo are we nae gaun tae the ranch tae get wir denner? They hae denner at the ranch."

George rowed ower on his side. "Nae rizzen at aa for ye. I like it here. The morn we're gaun tae gyang tae wirk. I saw threshin machines on the wye doon. Thon means we'll

8

be humfin grain sacks, warsslin an swytin. The nicht I'm gaun tae bide richt here an luik at the starnies. I like it."

Lennie gaed on his knees an teeted doon at George. "Are we nae gaun tae hae nae denner?'

"Of course we are, gin ye gaither up a puckle deid sauch kinnlin. I hae three tinnies o beans in ma pyoke. Ye mak up kinnlers. I'll gie ye a spunk fin ye get the wid thegither. Syne we'll heat the beans an hae denner."

Quo Lennie, "I like beans wi ketchup."

"Weel, we hinna got nae ketchup. Ye gyang an gaither timmer. An dinna ye gype aboot. It'll be derk afore lang."

Lennie hytered tae his feet an disappeared inno the busses. George bedd far he wis an fussled saftly tae hisel. There wis souns o splyterins doon the river in the airt Lennie had taen. George stoppit fusslin an lippent. "Puir bugger," quo he saftly, an syne stertit fusslin again.

In a meenit Lennie cam breengin back throw the busses. He cairried ae wee sauch stick in his haun. George raise up. "Aa richt," quo he sherpish. "Gie me thon moose!"

Bit Lennie made a muckle makkie-on o innocence. "Fit moose, George? I hinna got nae moose."

George held oot his haun. "Cam on. Gie it tae me. Yer nae makkin a feel o me."

Lennie devauled, backit awa, luikit wud-like at the busses as though he wis ettlin tae mak a rin for it. George telt him cauldly, "Are ye gaun tae gie me thon moose or dae I hae tae skelp ye?"

"Gie ye fit, George?"

"Ye ken dampt fine fit. I wint thon moose."

Wi a girn, Lennie raxxed inno his pooch. His vyce brukk a bittie. "I dinna ken foo I canna keep it. It's naebody's moose. I didna chore it. I fand it lyin richt aside the pathie."

George's haun bedd ootraxxed forcey-like. Slawly, like a tyke fa disnae wint tae bring a baa tae its maister, Lennie cam in aboot, drew back, cam in aboot again. George snappit his fingers sherply, an at the soun Lennie laid the moose in his haun.

"I wisnae daein naethin coorse wi it, George. Jist straikin it."

George stude up an haived the moose as far as he cud inno the derkenin busses, an syne he steppit tae the puil an washed his hauns. "Ye daft gype. Did ye nae think I cud see yer feet wis weet far ye wyded ower the river tae get it?" He heard Lennie's whimperin greet an furled aroon. "Greetin' like a babby! God Almichty! A muckle chiel like ye." Lennie's lip trimmlit an tears sterted in his een. "Ach, Lennie!" George pit his haun on Lennie's showder. "I'm nae takkin it awa for coorseness. Thon moose isna fresh Lennie; and mairower ye brukk it pettin't. Ye get anither moose that's fresh an I'll lat ye keep it a whylie."

Lennie dowpit doon on the grun an hung his heid dowie-like. "I dinna ken far there is nae ither moose. I myne a wumman eesed tae gie them tae me—ilkie ane she got. Bit thon wumman's nae here."

10

George leuch. "Wumman, eh? Ye dinna even myne fa thon wumman wis. Thon wis yer ain Aunt Clara. An she stoppit giein them tae ye. Ye ayewis killt them."

Lennie luikit waesome up at him. "They wis sae wee," quo he, sorry-like. "I'd pet them, an sune efter they bit ma fingers an I nippit their heids a bittie an then they wis deid—because they wis sae smaa. I wish we'd get mappies sune George. They're nae sae smaa."

"The Deil tak the mappies. An ye're nae tae be trusted wi nae live moosies. Yer Aunt Clara gied ye a rubber moose an ye widna hae naethin tae dae wi it."

"It wis nae gweed tae pet," quo Lennie.

The lowe o the gloamin heistit frae the taps o the bens an evenin cam intae the glen, an a hauf derkness cam in amang the saughs an the sycamores. A muckle carp raise tae the reef o the puil, golluped air an syne sank eildritch-like inno the derk watter again, leavin oot-streetchin rings on the watter. Owerheid the leaves wheeched again an wee tooshts o sauch cotton blew doon an laundit on the puil's tap.

"Are ye gaun tae get thon timmer?" George speired. "There's eneuch richt up agin the back o thon sycamore. Floodwatter wid. Noo ye get it."

Lennie gaed ahin the tree an brocht oot a rowth o dried leaves an twigs. He haived them in a boorach on the auld aisse pile an gaed back for mair an mair. It wis near eneuch nicht noo. A doo's wings fussled ower the watter. George wauked tae the pile o kinnlin an lichted the dry leaves. The lowe cracklit up amang the twigs an did its wirk. George lowsed his pyoke an brocht oot three cans o beans. He stude them aboot the lowe, close teetle the bleeze, bit nae richt touchin the flame.

"There's eneuch beans for fower chiels," quo George.

Lennie watched him ower the lowe. Quo he, cannily, "I like them wi ketchup."

"Weel, we hinna got ony," George raged. "Fitiver we hinna got, we hinna got, that's fit ye wint. God Almichty, gin I bedd alane I cud live sae easy. I cud ging an get a job an wirk, wi nae tribble. Nae bother at aa, an fin the eyn o the month cam I cud tak ma fifty dollars an ging intae toon an get fitiver I wint. Fegs, I cud bide in a cat hoose aa nicht. I cud ett ony placie I wintit, howf or ony place, an order ony dampt thing I cud think o. An I cud dae aa that ilkie dampt month. I cud get a gallon o fusky, or veesit a pool room an play cairds or sheet pool." Lennie knelt an keekit ower the lowe at the angered George. An Lennie's physog wis terrifeed. "An fit hiv I got," George gaed on in a richt roose. "I've got ye! Ye canna keep a job an ye lose me ilkie job I get. Jist keep me traivellin aa ower the kintra aa the time. An thon's nae the wirst. Ye get intae snorrels. Ye dae coorse things an I hae tae get ye oot." His vyce raise near tae a skirl. "Ye glaikit, gypit, daftie. Ye keep me in hett watter aa the time." He tuik on the fantoosh mainner o wee quinies fin they're apin ane anither. "Jist winted tae fin thon quine's dress—jist wintit tae pet it like it wis a moose—

Weel, foo the hell did she ken ye jist winted tae feel her dress? She yarks back an ye haud on like it wis a moose. She skreichs an we hae tae hide in a sheugh aa day wi chiels raikin for us, an we hae tae sneak oot in the derk an get ooto the kintra. Aa the time somethin like thon—aa the time. I wish I cud pit ye in a cage wi aboot a million moosies an let ye hae fun." His roose left him o a suddenty. He luikit ower the lowe at Lennie's frichtit physog an syne he luikit, affrontit o hissel, at the flames.

It was richt derk noo, bit the fire lichted the trunks o the trees an the raxxin branches owerheid. Lennie creepit slawly an cannily roon the lowe til he wis aside George. He hunkered doon. George turned the bean tinnies sae that anither side wis teetle the lowe. He made on that he didna ken Lennie wis sae close aside him.

"George," affa saftly. Nae repon. "George!"

"Fit div ye wint?"

"I wis anely gypin aboot, George. I dinna wint nae ketchup. I widna ett nae ketchup if it wis richt here aside me."

"If it wis here, ye cud hae some."

"Bit I widna ett nane, George. I'd leave it aa for ye. Ye cud hap yer beans wi it an I widna touch nane o it."

George still glowered dourly at the lowe. "Fin I think o the gran time I cud hae withoot ye, I ging gyte. I niver get nae peace."

Lennie wis on his knees. He luikit aff intae the derk ower the watter. "George, div ye wint me tae gyang awa an leave ye alane?"

"Far the hell cud ye ging?"

"Weel, I cud. I cud ging aff in the knowes thonner. Some airt far I'd fin a cave."

"Oh ay? Foo'd ye ett? Yae hinna got the kennin tae fin naethin tae ett."

"I'd fin things, George. I dinna need nae tasty maet wi ketchup. I'd lie oot in the sun an naebody'd hurt me. An gin I fand a moose, I cud keep it. Naebody'd tak it awa frae me."

George luikit faist an glegly at him. "I've bin coorse, hivn't I?"

"Gin ye dinna wint me I can ging aff in the knowes an fin a cave. I can gyang awa ony time."

"Na—wheesht! I wis jist funnin, Lennie. Cause I wint ye tae bide wi me. Tribble wi moosies is ye aywis kill them." He dauchled. "Tell ye fit I'll dae, Lennie. First chaunce I get I'll gie ye a pup. Mebbe ye widna kill *it*. Thon'd be better than moosies. An ye cud pet it harder."

Lennie jinkit the bait. He'd sensed George wis weakenin. "Gin ye dinna wint me, ye anely jist hae tae say so, an I'll gyang aff in thon bens richt thonner—richt up in thon knowes an bide by masel. An I winna get nae moosies chored frae me."

14

Quo George, "I wint ye tae bide wi me, Lennie. God Almichty, somebody'd sheet ye fur a coyote gin ye wis by yersel. Na, ye bide wi me. Yer Aunt Clara widna like ye rinnin aff by yersel, even if she is deid."

Lennie spakk sleekit-like, "Tell me—like ye've daen afore."

"Tell ye fit?"

"Aboot the mappies."

George snappit, "Ye're nae pittin onythin ower on me."

Lennie priggit, "Cam on, George. Tell's. Please, George. Like ye've daen afore."

'Ye fair enjoy thon, div ye nae? Aa richt, I'll tell ye, an syne we'll ett oor denner…"

George's vyce gaed deeper. He repeated his wirds rhythmic-like, as tho he'd spukken them umpteen times afore. "Chiels like us, fa wirk on ranches, are the laneliest chiels in the warld. They hinna got a faimly. They dinna belang nae wye. They cam tae a ranch an wirk for some pye an syne they ging intae toon an blooter their pye, an the first thing ye ken they're wirkin thirsels intae the grun on some ither ranch. They hinna got naethin tae luik forrit till."

Lennie wis delichted. "Thon's it—thon's it. Noo tell fit it's like wi us."

George gaed on. "Wi us it's nae like thon We've got a future. We've got somebody tae spikk tae that gies a damn aboot us. We dinna hae tae dowp doon in ae bar room

15

wastin oor siller jist because we've naewye else tae gyang. Gin thon ither chiels gets pitten in jyle they can gang tae Hecklebirnie for aa onybody gies a snuff. Bit nae us."

Lennie brukk in. "*Bit nae us! An fit wye? Because... because I hae ye tae luik eftir me, an ye hae me tae luik eftir ye, an thon's foo.*" He lauched delichtedly. "Ging on noo, George!"

"Ye ken it by hairt. Ye can dae it yersel."

"Na, ye. I canna myne a puckle o the things. Tell aboot foo it's gaun tae be."

"Aa richt. Someday—we're gaun tae get the siller thegither an we're gaun tae hae a wee hoose an a pucklie acres an a coo an a suppie grumphies an—"

"*An live aff the fat o the lan,*" Lennie skirled. "An hae *mappies.* Cairry on, George! Tell aboot fit we're gaun tae hae in the gairden an aboot the mappies in the pens an aboot the rain, Yuletide an the stove, an foo thick the cream is on the milk like ye can scarce cut it. Tell aboot thon, George."

"Foo divn't ye dae it yersel? You ken aa o it."

"Na... ye tell it. It's nae the same fin I tell it. Cairry on... George. Foo I get tae tak tent o the mappies."

"Weel," quo George, "we'll hae a muckle kailyaird an a mappie pen an chuckens. An fin it rains in the winter, we'll jist say Deil tak gaun tae wirk, an we'll bigg up a lowe in the stove an coorie roon it an listen tae the rain comin doon on the reef—Eneuch!" He tuik oot his pooch knife. "I hinna got time for ony mair." He drave his knife throw the tap o ane o the bean tinnies, saaed oot the tap an passed the tinnie tae Lennie. Syne he opened a secunt tinnie. Frae his side pooch he brocht oot twa speens an passed ane o them tae Lennie.

They hunkered aside the lowe an stappit their mous wi beans an chawed michtily. A fyew beans drappit oot o the side o Lennie's mooth. George pynted wi his speen. "Fit are ye gaun tae say the morn fin the heid bummer speirs things o ye?"

Lennie stoppit chawin an swallaed. His broo wis ticht wi thocht. "I... I'm nae gaun tae... say a wird."

"Gweed loon! Thon's dandy, Lennie! Mebbe yer growin better. Fin we get the pucklie acres I can lat ye tak tent o the mappies aa richt. Speecially gin ye myne as gweed as thon."

Lennie chokit wi pride. "I can myne," quo he.

George wyved his speen again. "Luik, Lennie. I wint ye tae luik roon here. Ye can myne this neuk, can't ye? The ranch is aboot a quarter mile up thon wye. Jist follae the watter?"

'Nae bother,' quo Lennie. "I can myne this. Did I nae myne aboot nae sayin a wird?

"Of course ye did. Weel, luik. Lennie—if ye jist happen tae get intae tribble like ye've aywis daen afore, I wint yae tae cam richt here an hide in the busses."

"Hide in the busses," quo Lennie slawly.

"Hide in the busses till I cam for ye. Can ye mynd thon?"

"Nae bother, George. Hide in the busses till ye cam."

"Bit ye winna get in nae tribble, because if ye dae, I winna lat ye tak tent o the mappies." He haived his teem bean tinnie aff intae the busses.

"I winna get in ony tribble, George. I winna say a wird."

"Aa richt. Bring yer pyoke ower here by the lowe. It's gaun tae be gran sleepin here. Luikin up, an the leaves. Dinna bigg up nae mair lowe. We'll lat her dee doon."

They beddit doon on the san, an as the bleeze drappit frae the lowe the cercle o licht grew mair smaa; the raxxin branches disappeared an anely a feint glimmer shawed far the tree trunks wis. Frae the derk Lennie cried, "George—ye asleep?"

"Na. Fit dae ye wint?"

"Let's hae different colours o mappies, George."

"Sae we will," quo George, dwaumy-like. "Reid an blue an green mappies Lennie. Umpteen o them."

"Furry anes, George, like I saa in the fair in Sacramento."

"Richt! Furry anes!"

"Cause I can jist as weel ging awa, George, an bide in a cave."

"Ye can jist as weel ging tae hell," quo George. "Wheesht noo."

The reid licht crined on the coals. Up the knowe frae the watter a coyote yammert, an a tyke made repon frae the ither side o the burn. The sycamore leaves fuspered in a wee nicht breeze.

2

The bunkhoose wis a lang, rectangular biggin. Inbye, the waas wis fitewashed an the fleer unpeinted. In three waas there wis smaa, squar windaes, an in the fowerth, a wechty yett wi a widden sneck. Agin the waas wis eicht bunks, five o them reddit up wi haps an the ither three shawin their sack strae. Ower ilkie bunk there wis nailed an aipple boxie wi the openin forrit sae that it vrocht twa shelvin fur the personal gear o the body makkin eese o the bunk. An thon shelvin wis stappit wi wee ferlies, soap an talcum pooder, razors an thon Western magazines ranch chiels lue tae read an lauch at an inbye thirses believe. An there wis medicines on the shelvin, an wee glaiss bottlies, caimbs; an frae nails on the boxie sides, a puckle neckties. Near ae waa there wis a blaik cast-iron stove, its stovepipe gaun straicht up throw the reef. In the mids o the chaumer stude a big squar table skittered wi playin cairds, an aroon it wis hickled boxies for the players tae dowp doon on.

At aboot ten o'clock in the foreneen the sun haived a bricht stoor-wechtit bar throw ane o the side windaes, an in an oot o the beam flees shot ben like wheechin starnies.

The widden sneck raised. The yett opened an a heich, humfy-backit auld chiel cam in. He wis riggit in blue jeans an he cairriet a muckle breem in his left haun. Ahin him cam George, an ahin George, Lennie.

"The heid-bummer wis expeckin ye last nicht," quo the auld man. "He wis helluva ill-naiturt fin ye wisnae here tae ging oot this mornin." He pynted wi his richt airm, an oot o the sleeve cam a roon stick-like wrist, bit nae haun. "Ye can hae thon twa beds thonner," he telt them, shawin twa bunks aside the stove.

George steppit ower an haived his haps doon on the sack-strae mattrass. He luikit inno his boxie shelvin an syne pyked a sma yalla tinnie frae it. "Heh. Fit the hell's this?"

"I dinna ken," quo the auld chiel.

"It says it 'positive kills flechs, creepy-crawlies an ither horny-gollachs.' Fit the hell kind o bed are ye giein us onywye? We dinna wint nae lowpin flechs in oor breeks."

The auld orra-man shiftit his breem an held it atween his elbuck an his side while he raxxed oot his haun for the tinnie. He glowered at the label cannily. "I'll tell ye fit—" quo he at last, "the hinmaist chiel that hid this bed wis a smith—a dampt fine body an as clean in his wyes as onybody that ye'd wint tae meet. Eesed tae wash his hauns even *efter* he ett."

"Syne foo did he get flechs?" George wis wirkin up a slaw roose. Lennie pit his pyoke on the neeborin bunk an dowpit doon. He watched George wi a gapit moo.

"Tell ye fit," quo the auld orra-man. "Thon smith—caad Whitey—wis the kind o chiel that wid pit thon stuff aroon even gin there wisna ony beasties—jist tae mak siccar, ye ken? I'll gie an example o fit he eesed tae dae—At meals he'd peel his bylet tatties, an he'd tak oot ilkie wee merk, nae maiter fit kyne, afore he'd ett it. An gin there wis a reid swatch on an eggie, he'd scrape it aff. At the hinner-eyn he left ower the heids o the maet. Thon's the kyne o chiel he wis—clean. Eesed tae dress up on the Sabbath even fin he wisna gaun nae wye, pit on a necktie even, an syne jist dowp doon in the bunkhoose."

"I'm nae certain," quo George suspeecious-like. "Fit did ye say he quit fur?"

The auld chiel pit the yalla tinnie in his pooch, an he scrapit his jobby fite fuskers wi his nieves. "Foo… he… he jist quit, the wye a body dis. Said it wis the maet. Jist winted tae meeve. Didna gie nae ither rizzon bit the maet. Jist says 'gie me ma pye' ae nicht, the wye ony chiel micht."

George heistit his beddin an luikit aneth it. He raxxed ower an inspectit the mattrass close-like. Straicht aff Lennie raise up an did the same wi his bed. At the hinnereyn George seemed satisfeed. He unrowed his pyoke an pit gear on the shelvin, his razor an bar o soap, his caimb an bottlie o peels, his ile an leather wristban. Syne he made his bed up snod wi haps. The auld chiel telt him, "I jalouse the heid bummer'll be oot here in a meenit. He wis in a fine fizz fin ye wisnae here this mornin. Cam richt in fin we wis ettin brakkfaist an roars, 'Far the hell's thon new chiels?' An he gied the stable loon hell, as weel."

George patted a runkle oot o his bed, an dowpit doon. "Gied the stable loon hell?" he speired.

"Aye. Ye see the stable loon's a blaik."

"Blaik, heh?"

"Aye. Fine chiel as weel. Got a cruikit back far a shelt kickit him. The heid bummer'll gies him hell fin he's roosed. Bit the stable loon disnae gie a damn aboot thon. He reads a rowth. Got buiks in his chaumer."

"Fit kyne o a chiel is the heid bummer?" George speired.

"Weel, he's a gey fine chiel. Gets unca ragie whyles, bit he's gey fine. Tell ye fit—ken fit he daen at Yule? Brocht a gallon o fusky richt in here an tells us, 'Drink hairty, lads. Yule jist cams aince a year.'"

"Weel I'll be dampt! A hale gallon?"

"Aye sir. God Almichty, we hid a lauch. They lat the blaik cam in thon nicht. A wee skinner caad Smitty pyked a fecht at the blaik. Dane gey gweed, tae. The chiels wadnae let him mak eese o his feet sae the blaik got him. Gin he cud hae made eese o his feet, Smitty says he wad hae killt the blaik. The chiels said on accoont o the blaik haein a cruikit back, Smitty cudnae mak eese o his feet." He dauchled in enjoyment o the mynin. "Eftir thon the chiels gaed intae Soledad an kickit up a stooshie. I didna ging in there. I hinna got the virr nae mair."

Lennie wis jist feenishin makkin his bed. The widden sneck raised again an the yett opened. A wee sturdy chiel stude in the open doorwey. He wis weirin blue jean troosers, a flannel sark, a blaik, unbuttoned semmit an a blaik jaiket. His thoombs wis stucken in his belt, on ilkie side o a squar steel buckle. On his heid wis a fyled broon Stetson hat, an he wore heich-heeled buits an spurs tae pruve he wisnae an ordnar wirker.

The auld orra-man luikit faist at him, an syne shauchled tae the yett scrattin his fuskers wi his nieves as he gaed. "Thon chiels jist newly cam," quo he, an bauchled by the heid-bummer an gaed oot the yett.

The heid-bummer steppit inno the chaumer wi the short, faist steps o a creashie-leggit body. "I scrieved tae Murray an Ready that I winted twa wirkers this mornin. Hae ye got yer wirk chitties?" George raxxed inno his pooch an rocht oot the chitties an haundit them tae the heid-bummer. "It wisnae Murray an Ready's wyte. It says richt here on the chittie that ye wis tae be here fur wirk this mornin."

George luikit doon at his feet. "The bus driver gied us wrang directions," he telt him. "We hid tae wauk ten miles. An sae we wis here fin we wisnae. We cudnae get ony hurls in the mornin."

The heid-bummer squinted his een. "Weel, I hid tae sen oot the grain squads short o twa loaders. It widnae dae ony gweed tae ging oot noo till eftir denner." He pued his time buik oot o his pooch an opened it far a pincil wis stukken atween the leaves. George glowered meaninfu at Lennie, an Lennie noddit tae shaw that he understude. The heid-bummer lickit his pincil. "Fit's yer name?"

"George Milton."

"An fit's yers?"

George telt him, "He's caad Lennie Small."

The names wis pitten intae the buik. "Let's see, this is the twintieth, noon the twintieth." He steekit the buik. "Far hae ye lads bin wirkin?"

"Up roon Weed," quo George.

"Ye, as weel?" tae Lennie.

"Ay, him tae," quo George.

The heid-bummer pyntit a playfu finger at Lennie. "He's nae muckle o a spikker is?"

"Na, he's nae, bit he's a damt gweed wirker. Strang as a bull."

Lennie grinned tae hissel. "Strang as a bull," quo he again.

George glowered at him, an Lennie drappit his heid in affront at haein forgotten.

The heid-bummer quo o a suddenty, "Tak tent, Small!" Lennie heistit his heid. "Fit can ye dae?"

In a fleerich, Lennie luikit at George fur help. "He can dae onythin ye tell him," quo George. "He's a gweed skinner. He can humf grain pyokes, drive a cultivator. He can dae onythin. Jist gie him a shottie."

24

The heid-bummer birled roon on George. "Foo dae ye nae lat him answer? Fit are ye hidin?"

George brak in lood, "Och! I'm nae sayin he's bricht. He's nae.But I tell ye he's a dampt gweed wirker. He can heist up a fower hunner pun bale."

The heid-bummer cannily pit the wee buik in his pooch. He cleukit his thoombs in his belt an gleyed ae ee near steekit. "Heh—fit are ye sellin?"

"Eh?"

"I'm speirin fit's yer interest in this chiel? Are ye takkin his pye awa frae him?"

"Na, of course I'm nae. Fit dae ye think I'm fermin him oot?"

"Weel, I niver saa ae chiel bother hissel sae muckle for anither chiel. I jist wint tae ken fit yer interest is."

George telt him, "He's ma… cousin. I telt his ma I'd tak care o him. He wis kicked in the heid by a cuddy fin he was a littlin. He's aa richt. He's jist nae bricht. Bit he can dae onythin ye tell him."

The heid bummer turned hauf awa. "Weel, God kens he disnae need ony harns tae humf barley sacks. Bit dinna ye tae try onythin, Milton. I've got ma een on ye. Foo'd ye quit Weed?"

"Darg wis daen," quo George gleg-like.

"Fit kinda darg?"

"We… we wis howkin a cesspuil."

"Aa richt. Bit dinna try onythin fly, cause ye canna get awa wi naethin. I've seen smert Alecs afore. Ging on oot wi the grain teams eftir denner. They're pykin up barley at the threshin machine. Ging oot wi Slim's team."

"Slim?"

"Aye. Muckle heich skinner. Ye'll see him at denner." He turned o a suddenty an gaed tae the yett, bit afore he gaed oot he turned an luikit fur a lang meenit at the twa chiels.

Fin the soun o his fitsteps hid deed awa, George turned on Lennie. "Sae ye wisna gaun tae say a wird. Ye wis gaun tae leave yer muckle mou steekit an leave me tae dae the spikkin. Ye dampt near lost us the job."

Lennie glowered eeselessly at his hauns. "I forgot, George."

"Aye, ye forgot. Ye aywis forget, an I got tae spikk ye oot o it." He dowpit doon wechtily on the bunk. "Noo he's got his een on us. Noo we got tae be cannie an nae mak ony mistakks. Ye keep yer muckle mou steekit efter thon." He fell disjaskit an seelent.

"George."

"Fit dae ye wint noo?"

"I wisna kicked in the heid wi nae cuddy, wis I, George?"

"Be a dampt gweed thing if ye wis," quo George veecious-like. "It wid save aabody a hell o a lot o tribble."

"Ye said I wis yer cousin, George."

"Weel, thon wis a lee. An I'm dampt gled it wis. Gin I wis sib o yers I'd sheet masel." He stoppit o a suddenty, steppit

26

tae the open front yett an teetit oot. "Say, fit the hell are ye daein luggin in?"

The auld chiel cam slawly inno the chaumer. He hid his breem in his haun. An at his heels there treetlit a dragfittet sheepdug, grey o muzzle, an wi fite, blin auld een. The gammie dug warssled tae the side o the chaumer an lay doon, grumfin saftly tae hissel an lickin his wizzent, moch-etten coat. The swamper watched him til he wis sattled. "I wisna luggin in. I wis jist hunkerin in the shadda a meenit scrattin ma dug. I jist noo feenished reddin oot the wash-hoose."

"Ye wis powkin yer muckle lugs inno oor affairs," quo George. "I dinna like onybody tae get ill-faschent."

The auld chiel luikit misfittit frae George tae Lennie, an syne back. "I jist cam here," quo he. "I didna hear naethin ye lads wis sayin. I'm nae consarned in naethin ye wis sayin. A chiel on a ranch disna lug in an he disnae speir ony questions."

"Damnt richt he disna," quo George, wi a calmer sooch, "nae gin he wints tae bide wirkin lang." Bit he wis reassured by the swamper's defence. "Cam on in an dowp doon a meenit," quo he. "Thon's a hell o an auld dug."

"Ay. I hid him iver since he wis a pup. God, he wis a gweed sheep dug fin he wis younger." He stude his breem agin the waa an he scrattit his fite jobby chikk wi his nieves. "Foo'd ye like the heid bummer?" he speired.

"Nae bad. Seems aaricht."

27

"He's a fine chiel," the swamper agreed. "Ye've got tae tak him the richt wye."

At thon meenit a young chiel cam inno the bunkhoose; a skinny-malink young chiel wi a broon physog, wi broon een an a heid o tichtly curled hair. He wore a wirk glove on his left haun, an, like the heid-bummer, he wore heich-heeled buits. "Seen ma faither?" he speired.

The swamper quo, "He wis here jist a meenit ago, Curley. He gaed ower tae the cook hoose, I think."

"I'll try tae catch him," quo Curley. His een passed ower the new wirkers an he stoppit. He glowered cauldly at George an syne at Lennie. His airms slawly booed at the elbucks an his hauns grippit inno nieves. He stiffent an gaed inno a slicht hunker. His glower wis at aince fly an fu o fecht. Lennie squirmed unner the luik an shiftit his feet jittery-like. Curley steppit tentily up tae them. "Are ye the new lads ma faither wis wytin fur?"

"We jist cam in," quo George.

"Let the muckle chiel spikk."

Lennie twistit wi affront.

George quo, "Fit gin he disnae wint tae spikk?"

Curley wheeped his body roon. "By Christ, he's gaun tae spikk fin he's spukken tae. Fit the hell are ye nebbin in fur?"

"We traivel thegither," quo George cauldly.

"Och, sae it's thon wey."

George wis ticht, an nae meevin. "Ay, it's thon wey."

Lennie wis luikin helpless tae George fur a repon.

"An ye winna lat the muckle chiel spikk, is thon it?"

"He can spikk gin he wints tae tell ye onythin." He noddit slichtly tae Lennie.

"We jist cam in," quo Lennie saftly.

Curley glowered level-like at him. "Weel, neist time ye spikk fin yer spukken tae." He turned tae the yett an wauked oot, an his elbucks wis still bood oot a thochtie.

George watched him ging oot, an syne he turned back tae the swamper. "Heh, fit the hell chip's he got on his showder? Lennie didnae dae naethin tae him."

The auld body teetit cannily at the yett tae mak siccar naebody wis lippcnin. "Thon's the maister's loon," quo he quaetly. "Curley's a gweed fechter. He's daen a fair bit o fechtin in the ring. He's a lichtweicht, an he's gweed."

"Well, let him be handy," said George. "He didnae hae tae tak a pikk at Lennie. Lennie didnae dae naethin tae him. Fit's he got agin Lennie?"

The swamper conseedered… "Weel… tell ye fit. Curley's like a wheen o ither wee chiels. He hates strang lads. He's aywis stertin fechts wi strang chiels.. As if he's roosed at them because he's nae a big strang chiel. Ye've seen birkies like thon, hivn't ye? Aywis din raisin?"

"Aye," quo George. "I've seen a rowth o teuch wee chiels. Bit thon Curley better nae mak nae mistaks aboot Lennie. Lennies nae a trained fechter, bit this Curley gadgie's gaun tae get hurtit if he misfits Lennie."

"Weel, Curley's a smert fechter," quo the swamper, nae convinced. "Niver did seem richt tae me. Fur example, Curley lowps on a big chiel an blooters him. Aabody says fit a brave chiel Curley is. An suppose he daes the same thing an gets threwshed. Syne aabody says the big chiel should pyke on somebody his ain mak, an mebbe they aa turn on the big chiel. Niver did seem richt tae me. Seems like Curley's nae giein naebody a chaunce."

George wis takkin tent o the yett. He said gurly-like, "Weel, he'd better watch oot for Lennie. Lennie's nae fechter, bit Lennie's strang an faist an Lennie disnae ken aboot rules." He wauked tae the squar table an sat doon on ane o the boxies. He gaithered a pucklie cairds thegither an shuffled them.

The auld bodach dowpit doon on anither boxie. "Dinna tell Curley I said nane o this. He'd threwsh me. He jist disnae gie a damn. Winna iver get his jotters because his faither's the maister."

George cut the cairds an sterted turnin them ower, luikin at ilkie ane an haivin it doon on a heap. He said, "This chiel Curley souns like a richt bampot tae me. I dinna like coorse wee gadgies."

"Ay bit he's gotten wirse lately," quo the swamper. "He got merriet a fortnicht syne. Wife bides ower in the maister's hoose. Curley's bigsier than iver since he got merriet."

George grunted, "Mebbe he's showin aff fur his wife."

30

The swamper warmed to his sklaik. "Ye seen thon glove on his left haun?"

"Aye. I seen it."

"Weel, thon glove's fu o vaseline."

"Vaseline? Fit the hell fur?"

"Weel, I tell ye fit fur—Curley says he's keepin thon haun saft fur his wife."

George studied the cairds thochtfu-like. "Thon's aa orra thing tae brag aboot," quo he.

The auld body breathed easier. He hid drawn a doon-pitten spikk frae George. He felt safe noo, an he spakk mair confidcnt. "Wyte'll ye see Curley's wife."

George cuttit the cairds again an pit oot a solitaire haun, slawly an cannily. "Bonnie?" he speired casual-like.

"Aye. Bonnie... bit—"

George studied his cairds. "Bit fit?"

"Weel—she's a limmer."

"Aye? Merriet twa wikks an luikin fur mair? Mebbe thon's foo Curley's sae contermaschious."

"I seen her gie Slim the gled ee. Slim's a jerkline skinner. A richt fine chiel. Slim disnae need tae weir nae heich-heeled buits on a grain team. I seen her gie Slim the gled ee. Curley niver seen it. An I seen her gie Carlson the gled ee."

George made on he wisnae carin. "Luiks like weire gaun tae hae fun."

The swamper stude up frae his boxie. "Ken fit I think?" George made nae repon. "Weel, I think Curley's merriet… a hoor."

"He's nae the first," quo George. "There's a rowth o ithers daen thon."

The auld chiel meeved for the yett, an his aunci"ent tyke heistit his heid an glowered aboot, an syne rugged itsel tae its feet wi a grue tae follae. "I've got tae be settin oot the wash basins fur the lads. The teams'll be in afore lang. Are ye chiels gaun tae be humfin barley?"

"Aye."

"Ye winna tell Curley naethin I said?"

"Nae fears."

"Weel, ye luik her ower, frien. Ye see if she's nae a hoor." He steppit oot the yett inno the bricht sunsheen.

George pit doon his cairds cannily, turned his piles o three. He biggit fower clubs on his ace pile. The sun squar wis on the fleer noo, an the flees wheeped throw it like spirks. A soun o clinkin harness an the craik o wechty-laden axles soundit frae ootbye. Frae a bittie-awa cam a clear skreich. "Stable loon, sta-able loon!" An syne, "Far the hell's thon dampt blaik?"

George glowered at his solitaire lay, an syne he duntit the cairds thegither an turned aroon tae Lennie. Lennie wis lyin doon on the bunk watchin him.

"Luik, Lennie! This is a queer set-oot. I'm feart. Yer gaun tae hae tribble wi thon Curley chiel. I've seen his kind afore.

He wis takkin the size o ye. He jalouses he's got ye fleggit an he's gaun tae tak a skelp at ye the first chaunce he gets."

Lennie's een wir frichtened. "I dinna wint nae tribble," he murned, greety-like. "Dinna let him skelp me, George."

George raise up an gaed ower tae Lennie's bunk an dowpit doon on it. "I hate thon kinda vratch," quo he. "I've seen dizzens o them. Like the auld bodach says, Curley disnae tak ony chaunces. He aywis wins." He thocht fur a meenit. "If he taigles wi ye, Lennie, we're gaun tae get oor jotters. Dinna mak nae mistak aboot thon. He's the maister's son. Luik, Lennie. Ye ettle tae bide awa frae him, will ye? Dinna iver spikk tae him. Gin hc comes in here ye meeve richt tae the ither side o the chaumer. Will ye dae thon, Lennie?"

"I dinna wint nae tribble," Lennie murned. "I niver daen naethin tae him."

"Weel, thon winna dae ye ony gweed gin Curley wints tae pluff oot his breist like a bantam. Jist dinna hae onythin tae dae wi him. Will ye myne?"

"Aye, George. I winna say a wird."

The soun o the incamin grain teams wis louder, dunt o muckle hooves on hard grun, drag o brakes an the clink o trace chynes. Cheils wir skellochin back an furth frae the teams. George, dowpit doon on the bunk aside Lennie, frooned as he thocht. Lennie speired cannily, "Yer nae roosed, George?"

"I'm nae roosed at ye. I'm roosed at this Curley vratch. I hoped we wir gaun tae get some siller thegither —mebbe a hunner dollars." His vyce grew forcey. "Ye bide awa from Curley, Lennie."

"I will, George. I winna say a wird."

"Dinna let him taigle wi ye. Bit gin the vratch skelps ye, dinna haud back."

"Haud back fit, George?"

"Niver mind, niver mind. I'll tell ye fan. I hate thon kind o a chiel. Luik, Lennie, gin ye get inno ony kind o tribble, ye mynd fit I telt ye tae dae?"

Lennie heistit hissel up on his elbuck. His physog wis ticht wi thocht. Syne his een meeved dowie tae George. "Gin I get in ony tribble, yer nae gaun tae lat me keep mappies."

"Thon's nae fit I meant. Ye mynd far we sleepit last nicht? Doon by the watter?"

"Aye. I mynd. Och, of coorse I mynd! I ging there an hide in the buss."

"Hide till I cam fur ye. Dinna let naebody see ye. Hide in the buss by the watter. Say thon ower."

"Hide in the buss by the watter, doon in the buss by the watter."

"Gin ye get in tribble."

"Gin I get in tribble."

A brake skreiched ootbye. A cry cam, "Stable—Loon. Heh! Sta–able Loon."

Quo George, "Say it ower tae yersel, Lennie, sae ye winna forget it."

Baith chiels keekit up, fur the rectangle o sunsheen in the doorwye wis cuttit aff. A quine wis staunin thonner luikin in. She hid braid, peintit lips an wide-spaced een, clartit wi make up. Her fingernails wis reid. Her hair hung in wee rowed pirls, like sausages. She wore a cotton hoose frock an reid mules, on the insteps of which wis wee boorichs o reid ostrich feathers. "I'm luikin' fur Curley," quo she. Her vyce hid a nasal, sherp quality.

George luikit awa frae her an syne back. "He wis in here a meenit syne, bit he gaed."

"Oh aye!" She pit her hauns ahin her back an leaned teetle the yett frame sae that her body was thrown forrit. "Yer the new lads that jist cam are ye nae?"

"Aye"

Lennie's een meeved doon ower her body, an though she didnae seem tae be luikin at Lennie her birse raise up a wee. She keekit at her fingernails. "Whyles Curley's in here," she telt them.

George said sherpish. "Weel he's nae here noo."

"If he's nae, I suppose I'd better luik some ither wye," she telt them playfu-like.

Lennie watched her, enthralled. George spakk, "Gin I see him, I'll pass the wird ye wis luikin fur him."

35

She smiled coy-like an raxxed her body. "Naebody can blame a quine fur luikin," quo she. There wis fitsteps ahin her, gaun by. She turned her heid. "Fit like, Slim," she said.

Slim's vyce cam throwe the yett. "Fit like, bonnie lass."

"I'm ettlin' tae fin Curley, Slim."

"Weel, yer nae luikin affa hard. I seen him gaun intae yer hoose."

O a suddenty, she wis wary. "'Cheeriebye lads," she cried inno the bunkhoose, an she hashed awa.

George luikit aroon at Lennie. "God Almichty fit a hoor," quo he. "Sae thon's fit Curley wyles fur a wife."

"She's bonnie," quo Lennie defensive-like.

"Aye, an she's really hidin it. Curley's got his wirk aheid o him. Bet she'd leave him fur twinty dollars."

Lennie still glowered at the doorwye far she'd bin. "By faith, she wis bonnie." He smiled admirinly. George luikit faist doon at him an syne he tuik him by a lug an shook him.

"Lippen tae me, ye feel gype," he raged rochly. "Dinna ye even tak a keek at thon hoor. I dinna care fit she says or fit she dis. I've seen them pyson lads afore, bit I niver seen nae daud o jyle bait waur nor her. Ye leave her alane."

Lennie ettled tae free his lug. "I niver daen naethin, George."

"Na, ye niver. Bit fin she wis staunin in the doorwye showin her shanks, ye wisnae luikin the ither wye, neither."

"I niver meant nae herm, George. Honest I niver."

"Weel, ye keep awa frae her, cause she's a moose trap gin I iver seen ane. Ye let Curley sort his ain soss. He let hissel in fur it. Glove fu o vaseline," quo George scunnered. "An I bet he's ettin' raa eggs an scrievin tae the quack medicine hooses."

O a suddenty Lennie cried oot—"I dinna like this place, George. This is nae a gweed place. I wint tae get ooto here."

"We got tae bide till we get some siller. We canna help it, Lennie. We'll get oot jist as sune as we can. I dinna like it ony better than ye dae." He gaed back tae the table an set oot a new solitaire haun. "Na, I dinna like it," quo he. "Fur tippence I'd meeve oot o here. Gin we can get jist a pucklie dollars in the pyoke we'll gyang aff an gae up the American River an pan fur gowd. We can mak mebbe a couple o dollars a day thonner, an we micht hit a seam."

Lennie raxxed forrit, keen-like, tae him. "Let's gae, George. Let's get ooto here. It's fooshtie here."

"We hae tae bide" George said sherp-like. "Wheesht noo. The wirkers'll be camin in."

Frae the washroom near haun cam the soun o rinnin watter an rattlin basins. George luikit at the cairds. "Mebbe we should wash up," quo he. "Bit we hinna daen onythin tae mak us fool."

A heich chiel stude in the doorwye. He held a runkled Stetson hat aneth his airm while he caimbed his lang, blaik, weety hair straicht back. Like the ithers he wore blue jeans an a short denim jaiket. Fin he hid feenished caimin his hair he meeved intae the chaumer, an he meeved wi a majesty maistered anely by royalty an maister craftsmen. He wis a jerkline skinner, the prince o the ranch, able tae drive saxteen, even twinty cuddies wi a single line tae the leaders. He cud kill a flee on the wheeler's dowp wi a bull wheep wioot even touchin the cuddy. There wis a gravity in his mainner an a quaet sae profun that aa newsin stoppit fin he spakk. His say-so wis that great that his wird wis taen on ony subjeck, be it politics or luv. Thon wis Slim, the jerkline skinner. His hatchet physog wis ageless. He micht hae bin thirty-five or fifty. His lug heard mair than wis said tae him, an his slaw spikk hid owertones nae o thocht, bit o kennin ayont thocht. His hauns, muckle an lean, wir as delicate in their meevements as thon o a temple dauncer.

He smeethed oot his runkled hat, creased it in the mids an pit it on. He luikit kindly at the twa in the bunkhoose. "It's brichter'n a bitch ootbye," quo he doucely. "Canna hardly see naethin in here. Are ye the new lads?"

"Jist cam," quo George.

"Gaun tae humf barley?"

"Thon's fit the maister says."

Slim dowpit doon on a boxie ower the table frae George. He studied the solitaire haun that wis upside doon tae him. "Hope yer pit on ma team," quo he. His vyce wis unca saft. "I hae a pair o neeps on ma team that dinna ken a barley bag frae a blue baa. Hae ye lads iver humfed barley?"

38

"Dammit aye," quo George. "I'm naethin tae brag aboot bit thon muckle bruiser there can heist up mair grain himsel than maist pairs can."

Lennie, fa'd bin follaein the converse back an forrit wi his een, smiled weel pleased wi the praise. Slim luikit kindly at George fur haein gien the compliment. He raxxed ower the table an snappit the neuk o a lowse caird. "Div ye lads traivel aroon thegither?" His tone wis frienly. It invited confidence wioot demandin it.

"Faith aye," quo George. "We kinda tak tent o each ither." He pyntit tae Lennie wi his thoomb. "He's nae bricht. Helluva gweed wirker, though. Hclluva fine chiel, bit he's nae bricht. I've kent him fur a lang time."

Slim luikit throw George an ayont him. "There's nae mony lads traivel aroon thegither," he mused. "I dinna ken fit way nae. Mebbe aabody in the hale dampt warld is feart o ane anther."

"It's a lot finer tae gang aroon wi a lad ye ken," quo George.

A pouerfu, big-stammached chiel cam intae the bunk-hoose. His heid wis aye dreepin wi watter frae scoorin an slooshin. "Hi, Slim," quo he, an syne he stoppit an glowered at George and Lennie.

"Thon lads jist cam," quo Slim by wye o an intro. "Gled tae meet ye," the muckle chiel said. "Ma name's Carlson."

"I'm George Milton. This is Lennie Small."

"Gled tae meet ye," Carlson said again. "He's nae verra smaa." He keckled saftly at his joke. "He's nae smaa at aa," he repeated. "Meant tae speir at ye, Slim—foos yer bitch? I seen she wisna aneth yer waggon this foreneen."

"She drappit her pups last nicht," quo Slim. "Nine o them. I drooned fower o them richt aff. She cudna feed that mony."

"Sae ye've five left?"

"Aye, five. I keepit the biggest."

"Fit kinda tykes dae ye think they're gaun tae be?"

"I dinna ken," quo Slim. "Some kinda shepherds, I jalouse. Thon's the maist kind I seen roon here fin she wis in heat."

Carlson gaed on, "Ye've got five pups, eh. Are ye gaun tae keep aa o them?"

"I dinna ken. I'll hae tae keep them a whylie sae they can drink Lulu's milk."

Carlson said thochtfy-like, "Weel, luik ye here, Slim. I've bin thinkin. Thon tyke o Candy's is sae dampt auld he can hardly wauk. Guffs like Hell as weel. Ilkie time he cams inno the bunk hoose I can smell him fur twa, three days. Foo div ye nae get Candy tae sheet his auld tyke an gie him ane o the pups tae raise up? I can smell thon tyke a mile awa. Got nae teeth, dampt near blin, canna ett. Candy feeds him milk. He canna chaa naethin else."

George hid bin glowerin close-like at Slim. O a suddenty a triangle stertit tae ching ootbye, slaw at first, an syne faister an faister until the beat o't wis swallaed up inno ae ringin soun. It stoppit as sune as it hid stertit.

"Thon's the denner bell," quo Carlson.

Ootbye, there wis a steer o vyces as a boorich o chiels gaed by. Slim stude up slaw an wi dignity. "Ye lads better cam on while there's still somethin tae ett. There winna be naethin in a couple o meenits."

Carlson steppit back tae lat Slim gae by him, an syne the twa o them went oot the yett.

Lennie wis watchin George in a fine fizz. George hickled his cairds inno a sossy pile. "Aye!" quo George, "I heard him, Lennie. I'll speir at him."

"A broon an fite ane," Lennie cried fair kittlit up.

"Cam on. Let's get denner. I dinna ken if he's got a broon an fite ane."

Lennie didna meeve frae his bunk. "Ye speir at him richt awa, George, sae he winna kill nae mair o them."

"Aye. Cam on noo, ontae yer feet."

Lennie rowed aff his bunk an stude up, an the twa o them sterted fur the yett. Jist as they reached it, Curley stottit in.

"Hae ye seen a quine aroon here?" he speired in a roose.

George said cauldly. "'Aboot hauf an oor ago mebbe."

"Weel fit the hell wis she daein'?"

George stude still, watchin the ragey wee billie. Quo he, insultinly, "She said—she wis luikin fur ye."

Curley seemed really tae see George fur the first time. His een glisked ower George, tuik in his heicht, meisured his reach, luikit at his trim kyte. "Weel, fit wye did she gyang?" he demanded at last.

"I dinna ken," quo George. "I didna watch her gyang."

Curley glowered at him, an birlin roon, hashed ooto the yett.

George said, "Ye ken, Lennie, I'm feart that I'm gaun tae taigle wi thon sumph masel. He gies me the dry boke. Gweed Sakes! Cam on. There winna be a dampt thing left tae ett."

They gaed ooto the yett. The sunsheen lay in a thin line aneth the windae. Frae a bittie awa cam the soun o rattlin ashets.

Eftir a meenit the auncient dog hirplit gammy-leggit in throwe the open yett. He teetit aboot wi douce, hauf-blin een. He sniffed, an syne lay doon an pit his heid atween his paas. Curley jinkit inno the doorwye again an stude luikin inno the chaumer. The tyke heistit his heid, bit fin Curley yarked hissel oot, the wizzent heid sank tae the fleer again.

3

Although there wis evenin brichtness shawin throwe the windaes o the bunkhoose, inbye it wis derkenin. Throwe the open yett cam the dunts an antrin clangs o a horsesheen game, an noo an then the soun o vyces raised in blytheness or derision.

Slim an George cam inno the derkenin bunkhoose thegither. Slim raxxed up over the caird table an yarked on the tin-shadit electric licht. In an instant the table wis floodit wi licht, an the cone o the shade haived its brichtness straicht doonwird, leavin the neuks o the bunkhoose aye in dusk. Slim sat doon on a boxie an George tuik his place opposite.

"It wis naethin," quo Slim. "I wid hae had tae drooned maist o them onywye. Nae need tae thank me aboot thon."

George said, "It wisnae muckle tae ye, mebbe, bit it wis a helluva lot tae him. God Almichty, I dinna ken foo we're gaun tae get him tae sleep in here. He'll wint tae sleep richt oot in the barn wi them. We'll hae tribble keepin him frae gettin richt in the box wi thon pups."

"It wis naethin," Slim repeated. "By the wye, ye wis richt aboot him. Mebbe he's nae bricht, bit I niver seen sic a wirker. He dampt near killt his pairtner humfin barley. There's naebody can keep up wi him. Hell, I niver seen sic a strang chiel."

George spakk proudly. "Jist tell Lennie fit tae dae an' he'll dae it if it disnae raxx his harns. He canna think o naethin tae dae hissel, bit he can fairly tak orders."

There wis a clang o horseshee on iron stake ootbye an a wee cheer o vyces.

Slim meeved back a thochtie sae the licht wisnae on his physog. "Queer foo ye an him pal aboot thegither." It wis Slim's calm invite tae share a frienly interest.

"Fit's queer aboot it?" George speired defensive-like.

"Och, I dinna ken. Hardly ony o the lads iver traivel thegither. I hardly iver seen twa lads traivel thegither. Ye ken the wye the wirkers are, they jist cam in an get their bunk an wirk a month, an syne they quit an gang oot alane. They niver iver seem tae gie a damn aboot naebody. It jist seems kinda queer a gyte neep like him an a smert wee lad like yersel traivellin thegither."

"He's nae gyte," quo George. "He's daft, bit he's nae aff his heid. An I'm nae sae bricht neither, or I widna be humfin barley fur ma pye an boord. Gin I wis bricht, gin I wis even a wee bit smert, I'd hae ma ain wee placie, an I'd be hairstin ma ain craps, insteid o daein aa the wirk an nae gettin fit cams up ooto the grun." George fell quaet. He

44

wintit to spikk. Slim neither egged him on nor pit him aff. He jist sat back quaet an lippenin.

"It's nae sae funny, him an me gaun aroon thegither," George said at last. "Him an me wis baith born in Auburn. I kent his Aunt Clara. She tuik him fin he wis a babby an reared him. Fin his Aunt Clara deed, Lennie jist cam alang wi me oot wirkin. We got kinda eesed tae each ither efter a wee while."

"Mmmphm," said Slim.

George luikit ower at Slim an saw the calm, God like een faistent ontae him. "Queer," quo George. "I eesed tae hae a helluva lot o fun wi him. Eesed tae play jokes on him because he wis ower glaikit tae tak care o hissel. Bit he wis ower feel even tae ken he hid a joke played on him. I hid fun. Made me seem byordnar smert alangside o him. Ken fit? He'd dae ony dampt thing I telt him. Gin I telt him tae wauk ower a cliff, ower he'd gyang. Thon wisnae sae dampt muckle fun efter a while. He niver got roosed aboot it, neither. I've threwsh the hell oota him, an he cud hae brukken ilkie bane in ma body jist wi his hauns, bit he niver lifted a finger agin me." George's vyce wis takkin on the tone o a confession. "I'll tell ye fit gart me stop thon. Ae day a heeze o chiels wis staunin aroon up on the Sacramento River. I wis feelin gey smert. I turned tae Lennie an says, 'Lowp in.' An he lowps. He cudna sweem a straik. He dampt near drooned afore we cud get him. An he was that dampt nice tae me for puin him oot. He'd forgotten I telt

45

him tae lowp in. Weel, I hinna daen naethin like thon ony mair."

"He's a fine chiel," quo Slim. "Lads dinna need wyceness tae be couthie. It seems tae me whyles it jist wirks the ither wye aroon. Tak a real smert chiel an he's hardly iver couthie."

George gaithered the skittered cairds thegither an stertit tae lay oot his solitaire haun. The sheen duntit on the grun ootbye. At the windaes the licht o the evenin still made the windae squars bricht.

"I hinna got ony fowk," quo George. "I've seen the lads that gang roon the ranches alane. Thon's nae eese. They dinna hae ony fun. Eftir a lang time they turn coorse. They stert wintin tae fecht aa the time."

"Aye, they grow coorse," Slim agreed. "They dinna wint tae spikk tae naebody.'

"Of course Lennie's a dampt scunner maist o the time," quo George. "Bit ye get eesed tae gaun aboot wi a lad an ye canna get rid of him."

"He's nae coorse," quo Slim. "I can see Lennie's nae a bit coorse."

"Of course he's nae coorse. Bit he gets intae tribble aa the time because he's sae dampt feel. Like fit happened in Weed—" He devauled, devauled in the mids o turnin ower a caird. He luikit fleggit an teeted ower at Slim. "Ye widnae tell naebody?"

"Fit did he dae in Weed?" speired Slim wi a calm sooch.

"Ye widnae tell?… Na, of course ye wadnae."

"Fit did he dae in Weed?" Slim speired again.

"Weel, he seen this quine in a reid frock. Gleckit neep that he is, he wints tae touch aathin he likes. Jist wints tae finn it. Sae he raxxes oot tae finn thon reid frock an the quine lats oot a skirl, an thon gets Lennie aa raivelled up, an he hauds on because thon's the anely thing he can think tae dae. Weel, this quine skirls an skirls. I wis jist a wee bittie awa, an I heard aa the skirlin, sae I cam rinnin, an by thon time Lennie's sae feart aa he can think tae dae is jist haud on. I skelped him ower the heid wi a fence post tae mak him lat go. He was sae feart he cudnae lat go o thon frock. An he's sae dampt strang, ye ken."

Slim's een wis level an unwinkin. He noddit, unca slaw. "Sae fit happent?"

George cannily biggit his line o solitaire cairds. "Weel, thon quine clypes an tells the polis she'd bin raped. The chiels in Weed stert a pairty oot tae lynch Lennie. Sae we dowp doon in an irrigation sheugh unnerwatter aa the lave o the day. Anely wir heids wir cockin ooto the watter, an up aneth the girse that sticks oot frae the side o the sheugh. An thon nicht we ran ooto there."

Slim dowpit in seelence a whylie. "He didnae hurt the quine at aa though?" he speired at the hinnereyn.

"Deil the bit, na. He jist fleggit her. I'd be feart an aa gin he grabbit me. Bit he niver hurtit her. He jist winted tae touch thon reid frock, like he wints tae pet thon pups aa the time."

"He's nae coorse," quo Slim. "I can tell a coorse chiel a mile aff."

"'Of course he's nae, an he'll dae ony dampt thing I—"

Lennie cam in throwe the yett. He wore his blue denim jaiket ower his showders like a cape, an he wauked booed richt ower.

"Fit like, Lennie," quo George. "Foo div ye like the pup noo?"

Lennie spakk braithlessly, "He's broon an fite jist like I winted." He gaed direct tae his bunk an lay doon an turned his physog tae the waa an drew up his knees.

George pit doon his cairds unca cannily. "Lennie," quo he sherply.

Lennie raxxed his neck roon an luikit ower his showder. "Eh? Fit d'ye wint, George?"

"I telt ye ye cudna bring thon pup in here."

'Fit pup, George? I hinna got nae pup."

George gaed faist ower tae him, grabbit him by the showder an rowed him ower. He raxxed doon an heistit up the wee puppy frae far Lennie hid bin happin it agin his kyte.

Lennie sat up quick. "Gie him tae me, George."

Quo George, "Ye get richt up an tak thon pup back tae the nest. He maun sleep wi his mither. Div ye wint tae kill

48

him? Jist born last nicht an ye tak him oot o the nest. Ye tak him back or I'll tell Slim nae tae lat ye hae him."

Lennie held oot his hauns, priggin. "Gie him tae me, George. I'll tak him back. I didna mean ony herm, George. Honest I didna. I jist winted tae pet him a bittie."

George haundit the pup tae him. "Aa richt. Ye get him back thonner quick, an dinna ye tak him oot nae mair. Ye'll kill him, the first thing ye ken." Lennie fairly flew oot o the chaumer.

Slim hadnae meeved. His calm een follaeed Lennie oot the yett. "Jesus," quo he. "He's jist like a bairn, is he nae?"

"Ay he is that. There's nae mair herm in him than a bairn neither, except he's sae strang. I bet he winna cam in here tae sleep the nicht. He'd sleep richt alangside thon boxie in the barn. Weel—let him. He's nae daein ony herm oot thonner."

It wis near derk ootbye noo. Auld Candy, the swamper, cam in an gaed tae his bunk, an ahin him warssled his auld tyke. "Aye Aye, Slim. Aye Aye, George. Didna neither o ye play horsesheen?"

"I dinna like tae play ilkie nicht," quo Slim.

Candy gaed on, "Dae either o ye lads hae a suppie o fusky? I've a richt sair kyte."

"I hinna," quo Slim. "I'd drink it masel gin I hid, an I hinna got a sair kyte neither."

"I've got a richt coorse sair kyte," quo Candy. "Thon God dampt neeps gied it tae me. I kent they wid afore I iver ett them."

The creashie-bellied Carlson cam in oot o the derkenin yaird. He wauked tae the ither eyn o the bunk hoose an turned on the secunt shaded licht. "Derker nur hell in here," quo he. "Jesus, foo thon blaik can haive sheen."

"He's unca gweed," quo Slim.

"Damnt richt he is," quo Carlson. "He disnae gie naebody else a chaunce tae win—" He stoppit an sniffed the air, an still sniffin, luikit doon at the auld tyke. "God Sakes, thon tyke guffs. Get him ooto here, Candy! I dinna ken naethin that guffs as bad as an auld tyke. Ye maun pit him oot."

Candy rowed tae the side o his bunk. He raxxed ower an patted the auncient tyke, an he apologized, "I bin aroon him sae much I niver tak tent o foo he stinks."

"Weel, I canna thole him in here," quo Carlson. "Thon guff hings aroon even efter he's gane." He wauked ower wi his wechty-leggit stride an luikit doon at the tyke. "He hisna ony teeth" quo he. "He's aa stiff wi rheumaticks. He's nae ony eese tae ye, Candy. An he's nae ony eese tae hissel. Foo divn't ye sheet him, Candy?"

The auld chiel squirmed aboot misfittit. "Weel—hell! I've hid him sae lang. I've hid him since he wis a pup. I herdit yowes wi him." He telt them proodly, "Ye wadnae think it tae luik at him noo, bit he wis the best dampt yowe herder I iver seen."

George made repon, "I seen a lad in Weed that hid an Airedale cud herd yowes. Learned it frae the ither tykes."

Carlson wis nae tae be pit aff. "Luik, Candy. This auld tyke jist suffers hissel aa the time. Gin ye wis tae tak him oot an sheet him richt in the back o the heid—" he raxxed ower an pynted, "-richt there, weel he'd niver ken fit hit him."

Candy luikit aboot waefu. "Na," he said saftly. "Na, I cudna dae thon. I've hid him ower lang."

"He disnae hae nae fun," Carlson gaed on. "An he guffs tae beat aa. I'll tell ye fit. I'll sheet him fur ye. Syne it winna be ye that dis it."

Candy drappit his shanks aff his bunk. He scrattit the fite stibble fuskers on his chikk shakky-like. "I'm that eesed tae him," he said saftly. "I hid him frae a pup."

"Weel, yer nae bein kind tae him keepin him alive," quo Carlson. "Luik, Slim's bitch his got a litter eenoo. I'll bet ye Slim wid gie ye ane o thon pups tae rear, widn't ye, Slim?"

The skinner hid bin studyin the auld tyke wi his calm een. "Aye," quo he. "Ye can hae a pup gin ye wint ane." He seemed tae shakk hissel free fur spikk. "Carl's richt, Candy. Thon tyke's nae gweed tae hissel. I wish somebody'd sheet me gin I get auld an a cripple."

Candy luikit helpless at him, fur Slim's wird wis law. "Mebbe it'd hurt him," he suggestit. "I dinna mind takkin care of him."

Carlson said, "The wye I'd sheet him, he widnae feel naethin. I'd pit the gun richt thonner." He pynted wi his tae. "Richt back o the heid. He widnae even trimmle."

Candy luikit fur help frae physog tae physog. It wis rael derk ootbye by noo. A young wirker cam in. His slopin showders wis booed forrit an he wauked heavy on his heels, as though he cairriet the invisible grain sack. He gaed tae his bunk an pit his hat on his shelf. Syne he picked a pulp magazine frae his shelf an brocht it tae the licht ower the table. "Did I shaw ye this, Slim?" he speired.

"Shaw me fit?"

The young lad turned tae the back o the magazine, pit it doon on the table an pynted wi his finger. "Richt thonner, read thon." Slim booed ower it. "Gang on," quo the young lad. "Read it oot lood."

"'Dear Editor'," Slim read slawly. "'I've read yer mag fur sax years an I think it is the best on the merket. I like tales by Peter Rand. I think he is a bosker. Gie us mair like the Dark Rider. I dinna scrieve mony letters. Jist thocht I wid tell ye I think yer mag is the best dime's wirth I iver spent.'"

Slim luikit up questionin. "Fit d'ye wint me tae read thon fur?"

Whit said, "Gae on. Read the name at the boddom."

Slim read, "'Yers fur success, William Tenner.'" He luikit up at Whit again. "Fit d'ye wint me tae read that fur?"

Whit steekit the magazine wi a fleerish. "Dinna ye mynd Bill Tenner? Vrocht here aboot three months syne?"

Slim thocht... "A wee lad?" he speired. "Drave a cultivator?"

"Thon's him," Whit cried. "Thon's the chiel!"

"Ye think he's the lad that scrieved this letter?"

"I ken it. Bill an me was in here ae day. Bill hid ane o thon buiks that jist cam. He wis luikin in it an he says, 'I scrieved a letter. I winner if they'll pit it in the buik!' Bit it wisnae there. Bill says, 'Mebbe they're savin it fur later.' An thon's jist fit they've daen. There it is."

"Guess yer richt," quo Slim. "Got it richt in the buik."

George held oot his haun fur the magazine. "Gie's a luik?"

Whit fand the place again, bit he didnae gie up his grip on it. He pynted oot the letter wi his forefinger. An syne he gaed tae his boxie shelf an pit the magazine cannily in. "I winner if Bill seen it," quo he. "Bill an me vrocht in thon swatch o park pizz. We run cultivators, baith o us. Bill wis a helluva fine chiel."

Durin the converse Carlson hidnae bin drawn in. He carriet on luikin doon at the auld tyke. Candy watched him uneasy. At the hinnereyn Carlson quo, "Gin ye wint me tae, I'll pit the auld deevil oot o his waes richt noo an get it ower wi. There's naethin left fur him. Canna ett, canna see, canna even wauk wioot bein sair."

Candy quo hopefu, "Ye hinna got a gun."

"The hell I hinna. I've got a Luger. It winna hurt him at aa."

Candy said, "Mebbe the morn. Let's wyte till the morn."

"I dinna see nae rizzon fur it," quo Carlson. He wauked ower tae his bunk, pued his pyoke frae aneth it an tuik oot a Luger pistol. "Let's get it ower wi," quo he. "We canna sleep wi him stinkin aroon in here." He pit the pistol in his hip pooch.

Candy luikit a lang time at Slim tae try tae finn some repreive. An Slim gaed him nane. At the hinnereyn Candy said saft an hopeless, "Aaricht—tak him." He didnae luik doon at the tyke at aa. He lay back on his bunk an crossed his airms ahin his heid an glowered at the reef.

Frae his pooch Carlson tuik a wee leather thong. He booed ower an tied it roon the auld tyke's thrapple. Aa the lads except Candy watched him. "Cam loon. Cam on, loon," quo he doucely. An he said apologetically tae Candy, "He winna even feel it." Candy didna meeve nur answer him. He yarked the thong. "Cam on, loon." The auld tyke hytered slaw an stiff tae his feet an follaed the gently puin leash.

Slim said, "Carlson."

"Aye?"

"Ye ken fit tae dae."

"Fit d'ye mean, Slim?"

"Tak a shovel," quo Slim shortsome.

"Ay, richt! I unnerstaun." He led the tyke oot inno the derkness.

54

George follaed tae the yett an steekit the yett an pit the snib cannily in its place. Candy lay sterk on his bed glowerin at the reef.

Slim said lood, "Ane o ma lead cuddies his gotten a sair hoof. I've tae get some tar on it." His vyce treetled aff. It wis seelent ootbye. Carlson's fitsteps deed awa. The seelence cam inno the chaumer. An the seelence laisted.

George keckled, "I bet Lennie's richt oot there in the barn wi his pup. He winna wint tae cam in here nae mair noo he's gotten a pup."

Slim said, "Candy, ye can hae ony ane o thon pups ye wint."

Candy didnae mak repon. The seelence fulled the chaumer again. It cam ooto the nicht an invadit the airt. George said, "Wid onybody like tae play a wee euchre?"

"I'll play oot a fyew wi ye," quo Whit.

They tuik places opposite each ither at the table aneth the licht, bit George didnae shuffle the cairds. He rippled the neuk o the deck shakkie-like, an the wee snappin soun drew the een o aa the lads in the chaumer, sae that he stoppit daein it. The seelence fulled the chaumer again. A meenit passed, an anither meenit. Candy lay quaet, glowerin at the reef. Slim luikit at him fur a meenit an syne luikit doon at his hauns; he subdued ae haun wi the ither, an held it doon. There cam a wee gnaain soun frae aneth the fleer an aa the chiels luikit doon toward it gratefu-like. Anely Candy cairriet on glowerin at the reef.

"Souns like there wis a rotten aneth there," quo George. "We should get a trap doon there."

Whit brukk oot, "Fit the hell's takkin him sae lang? Lay oot some cairds, foo divn't ye? We're nae gaun tae get nae euchre played this wye."

George brocht the cairds thegither tichtly an studied the backs o them. The seelence wis in the chaumer again.

A shot soundit hyne aff. The lads luikit faist at the auld man. Ilkie heid turned tae him.

Fur a meenit he cairriet on glowerin at the reef. Syne he rowed slaw ower an faced the waa an lay seelent.

George shuffled the cairds noisily an dealt them oot. Whit drew a scorin boord tae him an set the pegs tae stert. Whit said, "I jalouse ye lads really did cam here tae wirk."

"Fit d'ye mean?" George speired.

Whit leuch. "Weel, ye cam on a Friday. Ye got twa days tae wirk till Sunday."

"I dinna see fit yer gettin at," quo George.

Whit leuch again. "Ye dae gin ye've bin aroon these muckle ranches a while. A chiel that wints tae luik ower a ranch cams in Setterday efterneen. He gets Setterday nicht supper an three meals on the Sabbath, an he can quit Monday mornin efter brakkfaist wioot daein a haun's turn. Bit ye cam tae wirk on Friday at noon. Ye've got tae pit in a day an a hauf nae maiter foo ye wirk it oot."

56

George lukit at him cannily. "We're gaun tae bide aroon a while," quo he. "Me an Lennie's gaun tae save some siller thegither."

The yett opened quaet-like an the stable loon pit in his heid; a lean blaik heid, runkled wi pain, the een patient. "Mr. Slim."

Slim tuik his een frae auld Candy. "Fit? Oh! It's yersel, Crooks. Fit's the maiter?"

"Ye telt me tae warm up tar fur thon cuddy's fit. I've got it warm."

"Oh! Gran, Crooks. I'll cam richt oot an pit it on."

"I can dae it gin ye wint, Mr. Slim."

"Na. I'll cam an dae it masel." He stude up.

Crooks said, "Maister Slim."

"Aye."

"Thon brosie new chiel's sotterin aroon wi yer pups oot in the barn."

"Weel, he's nae daein ony herm. I gied him ane o thon pups."

"Jist thocht I'd tell ye," quo Crooks. "He's takkin them ooto the nest an haunlin them. Thon winna dae them nae gweed."

"He winna hurt them," quo Slim. "I'll cam alang wi ye noo."

George luikit up. "Gin thon daft bastart's gypin aroon ower muckle, jist kick him oot, Slim."

Slim follaeed the stable loon oot o the chaumer.

George dealt an Whit pyked up his cairds an keekit at them. "Hae ye seen the new quine yet?" he speired.

"Fit quine?" George speired.

"Foo, Curley's new wife."

"Ay, I seen her."

"Weel isn't she a bosker?"

"I hinna seen that muckle o her," quo George.

Whit laid doon his cairds wi a fleerish. "Weel, bide aroon an keep yer een open. Ye'll see plenty. She's nae hidin naethin. I've niver seen naebody like her. She's eein aabody up aa the time. I'll bet she even gies the stable loon the gled ee. I dinna ken fit the hell she wints."

George speired casual-like, "Bin ony tribble since she got here?"

It wis plain that Whit wisnae interestit in his cairds. He laid his haun doon an George scoofed it in. George laid oot his deliberate solitaire haun—seeven cairds, an sax on tap, an five on tap o thon.

Quo Whit, "I see fit ye mean. Na, there's nae bin onythin yet. Curley's got yalla-jaikets in his draaers, bit thon's aa sae far. Ilkie time the chiels is aroon she turns up. She's luikin fur Curley, or she thocht she left somethin ahin an she's luikin for it. Seems like she canna keep awa frae lads. An Curley's pants is jist crawlin with emerteens, bit there's naethin cam o it yet."

Quo George, "She's gaun tae mak tribble. There's gaun tae be a rowth o tribble because o her. She's a jyle bait aa

58

set on the trigger. Thon Curley's got his wirk cut oot fur him. A ranch wi a heeze o chiels on it's nae place fur a quine, specially ane like her."

Quo Whit, "If ye hae the notion, ye should cam intae toon wi us lads the morn's nicht."

"Foo? Fit's on the go?"

"Jist the ordnar thing. We ging intae auld Susy's place. Helluva fine place. Auld Susy's a lauch—aywis crackin jokes. Like she says fin we cam up on the front porch last Setterday nicht. Susy opens the yett an syne she cries ower her showder, 'Get yer jaikets on, quines, here cams the sheriff.' She niver spikks orra, neither. She's got five quines thonner."

"Fit's it cost?" George speired.

"Twa an a hauf dollars. Ye can get a dram fur twa cents. Susy's got fine cheers tae dowp doon in, as weel. Gin a lad disnae wint a birze, weel, he can jist dowp doon in the cheers an hae a twa or three drams an pass the time o day an Susy disnae gie a fleein fart. She's nae hashin lads throw an haivin them oot gin they dinna wint a birze."

"Micht ging in an luik the place ower," quo George.

"Nae bother. Cam wi's. It's a helluva lot o fun—her crackin jokes aa the time. Like she says ae time, 'I've kent fowk that if they got a clootie rug on the fleer an a kewpie dall lamp on the phonograph they think they're rinnin a parlour hoose.' Thon's Clara's hoose she's spikkin aboot. An Susy says, 'I ken fit ye lads wint,' she says. 'Ma quines is clean,' she says, an there's nae watter in ma fuskey. Gin ony o ye chiels wint tae luik at a kewpie dall lamp an tak yer ain chaunce o gettin brunt, weel, ye ken far tae gyang.' An she says, 'There's chiels aroon here waukin bandy-leggit cause they liked tae luik at a kewpie dall lamp.'"

George speired, "Clara rins the ither hoose, eh?"

"Ay," quo Whit. "We dinna iver ging there. Clara gets three dollars a birze an thirty-five cents a dram, an she disnae crack ony jokes. Bit Susy's place is clean an she's got comfy cheers. She disnae let ony Holy-Willies in, neither."

"Me an Lennie's savin up oor siller," quo George. "I micht ging in an dowp doon an hae a dram, bit I'm nae pyin oot nae twa an a hauf."

"Weel, a chiel's got tae hae some fun sometime," quo Whit.

The yett opened an Lennie an Carlson cam in thegither. Lennie creepit tae his bunk an dowpit doon, ettlin nae tae attrack attention. Carlson raxxed aneth his bunk an brocht oot his pyoke. He didna luik at auld Candy, fa still faced the waa. Carlson fand a wee cleanin rod in the pyoke an a tinnie o ile. He laid them on his bed an syne brocht oot the pistol, tuik oot the magazine an snappit the loaded shell frae the chamber. Syne he fell tae cleanin the barrel wi the wee rod. Fin the ejector snappit, Candy turned ower an luikit fur a meenit at the gun afore he turned back tae the waa again.

Carlson said casual-like, "His Curley bin in yet?"

"Na," quo Whit. "Fit's adee wi Curley?"

Carlson gleyed doon the barrel o his gun. "Luikin' fur his dearie. I seen him gaun roon an roon ootbye."

Quo Whit sarcastic-like, "He spens hauf his time luikin fur her, an the lave o the time she's luikin fur him."

Curley breenged inno the chaumer vrocht up. "Hiv ony o ye lads seen ma wife?" he demandit.

"She hisna bin here," quo Whit.

Curley luikit threatenin aboot the chaumer. "Far the hell's Slim?"

"He gaed oot tae the barn," quo George. "He wis gaun tae pit some tar on a rivven hoof."

Curley's showders drappit an squared. "Foo lang ago did he ging?"

"Five or ten meenits."

Curley lowpit oot the yett an banged it eftir him.

Whit stude up. "I think mebbe I'd like tae see this," he said. "Curley's jist ragin or he widna stert on Slim. An Curley's a gweed fechter, a gweed fechter. He won intae the boxin finals fur the Gowden Gloves. He's got newspaper clippins aboot it." He thocht a while. "Bit jist the same, he'd better leave Slim alane. Naebody kens fit Slim can dae."

"He thinks Slim's wi his wife, disn't he?" quo George.

"Luiks like it," Whit said. "Course, Slim's nae. At least I dinna think Slim is. Bit I'd like tae see the stramash if it sterts. Cam on, let's ging."

George quo, "I'm bidin richt here. I dinna wint tae get snorreled up in onythin. Lennie an me hae tae save oor siller."

Carlson feenished the cleanin o the gun an pit it in the pyoke an pushed the pyoke aneth his bunk. "I think I'll ging oot an see fit's daein," quo he. Auld Candy lay quaet, an Lennie, frae his bunk, watched George cannily.

Fin Whit an Carlson wis gaen an the yett steekit ahin them, George turned tae Lennie. "Fit's gaun on in yer noddle?"

"I hinna daen naethin, George. Slim says I'd better nae pet thon pups ower muckle fur a while. Slim says it's nae gweed fur them; sae I cam richt in. I've bin gweed, George."

"I cud hae telt ye thon," quo George.

"Weel, I wisnae hurtin them nane. I jist hid mine in my lap, pettin' it."

George speired, "Did ye see Slim oot in the barn?"

"Aye, I did. He telt me I'd better nae pet thon pup ony mair."

"Did ye see thon quine?"

"Ye mean Curley's quine?"

"Aye. Did she cam intae the barn?"

"Na. Onywye, I niver seen her."

"Ye niver seen Slim spikkin tae her?"

"Nuh. She wisnae in the barn."

"Aa richt," quo George. "I jalouse thon lads arenae gaun tae see a fecht. Gin there's ony fechtin, Lennie, ye bide oot o it."

"I dinna wint nae fechts," quo Lennie. He raise up frae his bunk an dowpit doon at the table, ben frae George. Near automatic-like George shuffled the cairds an laid oot his solitaire haun. He made eese o a deliberate, thochtfu slawness.

Lennie raxxed fur a face caird an studied it, syne cowped it upside doon an studied it. "Baith eyns are the same," quo he. "George, foo is baith eyns the same?"

"I dinna ken," quo George. "Thon's jist the wey they mak them. Fit wis Slim daein in the barn fin ye seen him?"

"Slim?"

"Aye. Ye seen him in the barn, an he telt ye nae tae pet the pups sae muckle."

"Oh, aye. He hid a tinnie o tar an a peint brush. I dinna ken fit fur."

"Are ye sure thon quine didna cam in like she cam in here the day?"

"Na. She niver cam."

George maened. "Ye gie me a gweed hoor hoose ilkie time," quo he. "A chiel can ging in an get bleezin an get aathin oot o his system aa at aince, an nae sosses. An he kens foo muckle it's gaun tae cost him. Thon jyle bait is jist set on the trigger ready tae bang."

Lennie follaeed his words admirin-like, an meeved his lips a wee thochtie tae keep up. George cairriet on, "Ye mynd on Andy Cushman, Lennie? Gaed tae grammar schule?"

"The ane fa's ma eesed tae mak hett cakes fur the bairns?" Lennie speired.

"Aye. Thon's the ane. Ye can mynd onythin gin there's ony maet in it." George luikit cannily at the solitaire haun. He pit an eece up on his scorin rack an plunkit a twa, three an fower o diamonds on it. "Andy's in San Quentin richt noo on accoont o a hoor," quo George.

Lennie dirled on the table wi his fingers. "George?"

"Aye?"

"George, foo lang's it gaun tae be till we get thon wee placie an live aff the fat o the lan—an mappies?"

"I dinna ken," quo George. "We hae tae gaither a rowth o siller thegither. I ken a wee placie we can get chaip, bit they're nae giein it awa."

Auld Candy turned slaw ower. His een wis wide open. He watched George cannily.

Quo Lennie, "Tell's aboot thon placie, George."

"I jist telt ye, jist last nicht."

"Tell's again, George."

"Weel, it's ten acres," quo George. "It his a wee winmill. It his a wee sheilin on it, an a chicken run. It his a kitchie, orchard, geans, aipples, peaches, apricots, nuts, an a fyew berries. There's an airt for alfalfa an eneuch watter tae flood it. There's a grumphie's pen—"

"An mappies, George."

"Nae place fur mappies noo, bit I could easy bigg a fyew hutches an ye cud feed alfalfa tae the mappies."

"Yer dampt richt, I cud," quo Lennie. "Yer dampt richt I cud."

George's hauns devault frae wirkin wi the cairds. His vyce wis growin warmer. "An we cud hae a puckle grumphies. I cud bigg a smoke hoose like the ane granda hid, an fin we kill a grumphie we can smoke the bacon an the hams, an mak sausage like thon. An fin the salmon rin up watter we cud catch a hunner o them an satt them doon or smoke them. We cud hae them fur brakkkfaist. There's naethin sae fine as smoked salmon. Fin the fruit's ready we cud tin it— an tomataes, they're easy tae tin. Ilkie Sabbath we'd kill a chucken or a mappie. Mebbe we'd hae a coo or a goat, an the cream wid be sae dampt thick ye'd hae tae cut it wi a knife an take it oot wi a speen."

Lennie watched him wi gapin een, an auld Candy watched him as weel. Quo Lennie saftly, "We cud live aff o the fat o the lan."

"Nae bother," quo George. "Aa kind o veggies in the gairden, an gin we wint a suppie fusky we can sell a fyew eggies or somethin, or a suppie milk. We'd jist bide thonner. We'd belang thonner. There widnae be nae mair rinnin roon the kintra an getting fed by a Japanee cook. Na faith, we'd hae oor ain placie far we belanged an nae sleep in nae bunkhoose."

"Spikk aboot the hoose, George," Lennie priggit.

"Aye weel, we'd hae a wee hoose an a room tae oorsels. A wee fat iron stove, an in the winter we'd keep a lowe gaun in it. It's nae a skelp o grun sae we'd nae hae tae wirk ower hard. Mebbe sax, seeven oors a day. We widnae hae tae humf ony barley eleyven oors a day. An fin we pit in a crap, weel, we'd be there tae hairst it. We'd ken the ootcam o oor plantin."

"An mappies," quo Lennie richt gleg. "An I'd tak tent of them. Tell's foo I'd dae thon, George."

"Aye, richt, ye'd ging oot in the alfalfa neuk an ye'd hae a pyoke. Ye'd stap the pyoke an bring it in an pit it in the mappie cages."

"They'd chitter an they'd chitter," quo Lennie, "the wye they dae. I've seen them."

"Ilkie sax wikks or sae," George cairriet on, "the does wid drap a litter sae we'd hae a rowth o mappies tae ett an tae sell. An we'd keep a puckle doos tae ging fleein aroon the winmill like they did fin I wis a bairn. He luikit fair transmogrifeed at the waa ower Lennie's heid. "An it'd be oor ain, an naebody could jyle us. Gin we dinna like a chiel we can say, 'Get the hell oot o here,' an by God he'd hae tae dae it. An if a frien cam by, weel we'd hae an extra bunk, an we'd say, 'Foo divn't ye bide the nicht?' an sure as faith he wid. We'd hae a setter tyke an a pair o strippit kittlins, bit ye hae tae watch oot that thon kittlins dinna kill the wee mappies."

66

Lennie breathed hard. "Ye jist let them try tae get the mappies. I'll brak their dampt thrapples. I'll… I'll blooter them wi a stick." He sattled doon, grummlin tae hissel, threatenin the future kittlins fa micht daur misfit the future mappies.

George sat fair trickit wi his ain pictur.

Fin Candy spakk they baith lowpit as though they'd bin catched daein something coorse. Candy speired, "D'ye ken far there's a placie like thon?"

George was on guaird richt aff. "Mebbe I dae," quo he. "Fit's it tae ye?"

"Ye dinna need tae tell me far it is. Micht be ony placie."

"Aye," quo George. "Thon's richt. Ye cudna fin it in a hunner years."

Candy gaed on vrocht up, "Foo much wid they wint fur a placie like?"

George eed him suspicious-like. "Weel—I cud get it for sax hunner dollars. The auld fowk that ains it is puir an the auld wumman needs a sawbeens. Bit—fit's it tae ye? Ye've got naethin tae dae wi us."

Quo Candy, "I'm nae muckle eese wi anely ae haun. I tint ma haun richt here on this ranch. That's the wye they gied me wirk daein orra jobs…licht wirk. An they gied me twa hunner an fifty dollars cause I tint ma haun. An I've got fifty mair saved up richt in the bank, richt noo. Thon's three hunner, an I got fifty mair comin at the eyn o the month. I'll tell ye fit—" He raxxed forrit gleg like. "Fit gin I jyned up wi ye lads.. Thon's three hunner an fifty dollars I'd pit in. I'm nae muckle eese, bit I cud cook an tak tent o the chuckens an hyow the gairden. Foo wid thon dae?"

George hauf-steekit his een. "I'd hae tae think aboot thon. We wis aywis gaun tae dae it by oorsels."

Candy brukk in, "I'd mak a will an leave ma siller tae ye lads in case I keel ower cause I hinna ony kin nor onythin. Ye chiels got ony siller? Mebbe we cud dae it richt noo?"

George spat on the fleer, scunnered. "We've got ten dollars atween us." Syne he spakk thochtfu, "Luik, gin me an Lennie wirk a month an dinna spen naethin, we'll hae a hunner dollars. Thon wid mak fower hunner an fifty. I'll sweir we cud buy it fur thon. Syne ye an Lennie cud gyang an get things stertit an I'd get wirk an mak up the lave. An ye cud sell eggies an smaa things like thon."

They aa fell quaet. They luikit at ane anither, bumbazed. This dream they'd niver really believed in wis comin true. Quo George, reverent-like, "God Almichty! I bet we cud dae it." His een wis fu o winner. "I'll bet we cud dae it," he repeatit saftly.

Candy dowpit doon on the edge o his bunk. He scrattit the stump o his wrist nervous-like. "I got hurtit fower year ago," quo he. "They'll sack me gey sune. Jist as sune as I canna swype oot nae bunkhooses they'll pit me oot tae depen on charity. Mebbe gin I gied ye lads ma siller, ye'd let me hyow in the gairden even efter I'm nae eese at it. An I'll wash dishes an dae footerie chucken darg like thon. Bit

I'll be on oor ain placie, an I'll be lat wirk on oor ain placie." Quo he disjaskit, "Ye seen fit they daen tae ma tyke the nicht? They says he wisnae ony gweed tae hissel or naebody else. Fin they sack me here I wish somebody'd sheet me. Bit they winna dae naethin like thon. I winna hae onywye tae ging, an I canna get nae mair wirk. I'll hae thirty dollars an mair comin by the time ye lads is ready tae quit."

George stude up. "We'll dae it," quo he. "We'll redd up thon wee auld placie an we'll gang an bide thonner." He dowpit doon again. They aa sat quaet, aa fair trickit by the brawness o the thing, their harns wis fixed inno the future fin this gran thing wid happen.

Quo George in winnerment, "Suppose there wis a carnie or a circus cam tae toon, or a baa game, or ony dampt thing." Auld Candy noddit, kittlit up by the thocht. "We'd jist ging tae it," George quo. "We widna speir at onybody gin we cud. We'd jist sae, 'We'll gaun tae it,' an we wid. We'd jist milk the coo an skitter some grain tae the chuckens an ging tae it."

"An pit some girse tae the mappics," Lennie brukk in. "I wadnae iver forget tae feed them. Fan are we gaun tae dae it, George?"

"In ae month. Richt squar in ae month. Ken fit I'm gaun tae dae? I'm gaun tae scrieve tae thon auld fowk that ains the placie that we'll tak it. An Candy'll sen a hunner dollars as deposit."

"Nae bother," quo Candy. "Div they hae a gweed stove thonner?"

"Aye, they've got a bosker o a stove, burns coal or wid."

"I'm gaun tae tak ma pup," quo Lennie. "By God I'll bet he likes it thonner."

Vyces wia nearin frae ootbye. Quo George faist, "Dinna tell naebody aboot it. Jist us three an naebody else. They're fit tae sack us sae we canna earn the siller we need. Jist gyang on as tho we wis gaun tae humf barley the lave o oor lives, then on a suddenty ae day we'll gae an get oor pye an sheet oot o here."

Lennie an Candy noddit, an they wis grinnin wi delicht. "Dinna tell naebody," quo Lennie tae hissel.

Quo Candy, "George."

"Aye?"

"I should hae shot thon tyke masel, George. I shouldnae hae let some stranger sheet ma tyke."

The yett opened. Slim cam in, follaed by Curley an Carlson an Whit. Slim's hauns wis blaik wi tar an he wis glowerin. Curley hung nearbye his elbuck.

Curley quo, "Weel, I didna mean naethin, Slim. I jist speired at ye."

Slim made repon, "Weel, ye've bin speirin ower aften. I'm getting dampt seek o it. Gin ye canna luik efter yer ain God dampt wife, fit d'ye expeck me tae dae aboot it? Ye leave me alane."

70

"I'm jist ettlin tae tell ye I didna mean onythin," quo Curley. "I jist thocht ye micht hae seen her."

'Foo divn't ye tell her tae bide the hell at hame far she belangs?" quo Carlson. "Ye let her hing aroon bunkhooses an afore lang yer gaun tae hae somethin on yer hauns an ye winna be able tae dae onythin aboot it."

Curley furled roon on Carlson. "Ye bide ooto this unless ye wint tae step ootbye."

Carlson leuch. "Ye dampt sumph," quo he. "You tried tae fear Slim, an it didnae wirk. Slim feared ye. Yer yalla as a puddock's wyme. I dinna gie a snuff gin yer the best lichtwecht fechter in the kintra. Ye cam eftir me, an I'll kick yer dampt heid aff."

Candy jyned the attack blythely. "Glove stapped wi vaseline," he quo in scunner. Curley glowered at him. His een slippit on bye an lichtit on Lennie; an Lennie wis still smilin wi delicht mynin aboot the ranch.

Curley steppit ower tae Lennie like a terrier. "Fit the hell are ye lauchin' at?"

Lennie luikit blank at him. "Fit?"

Syne Curley's roose explodit. "Cam on, ye big bastart. Get up on yer feet. Nae bigsy vratch is gaun tae lauch at me. I'll show ye fa's yalla."

Lennie luikit helpless at George, an syne he raise up an ettled tae withdraa. Curley wis balanced an poised. He skelped at Lennie wi his left nieve, an syne he blootered doon his neb wi his richt nieve. Lennie gaed a skreich o

71

terror. Bluid poored doon frae his snoot. "George," he grat. "Mak him leave me alane, George." He backed until he wis agin the wall, an Curley follaed, beltin him in the physog. Lennie's hauns bedd at his sides; he wis ower feart tae defen hissel.

George wis on his feet skirlin, "Get him, Lennie. Dinna let him dae it."

Lennie happit his physog wi his muckle paas an bleatit wi terror. He grat, "Mak him stop, George." Syne Curley punched his wyme an cut aff his win.

Slim lowped up. "The orra wee rotten," he roared, "I'll get him masel."

George pit oot his haun an gruppit Slim. "Wyte a meenit," he skirled. He cupped his hands aroon his mou an skelloched, "Get him, Lennie!"

Lennie tuik his hauns awa frae his physog an luikit aboot fur George, an Curley skelped at his een. The muckle physog wis clartit w bluid. George skirled again, "I said get him."

Curley's nieve wis sweengin fin Lennie raxxed fur it. The neist meenit Curley wis floppin like a fish on a line, an his steekit nieve wis tint in Lennie's muckle haun. George ran doon the room. "Let him gae, Lennie. Let gae."

Bit Lennie watched in terror the floppin wee birky fa he held. Bluid ran doon Lennie's face, ane o his een wis cut an steekit. George cloored him in the physog again an again, an still Lennie gruppit the steekit nieve. Curley wis fite an
72

crined by noo, an his warssles hid becam dweeble. He stude
greetin, his nieve tint in Lennie's paa.

George roared ower an ower. "Drap his haun, Lennie.
Drap it. Slim, cam help me while the chiel's got ony haun
left."

O a suddenty. Lennie let go his haud. He hunkered,
cooerin agin the waa. "Ye telt me tae, George," quo he said
disjaskit.

Curley dowpit doon on the fleer, luikin in winnerment at
the malagaroozed haun. Slim an Carlson booed ower him.
Syne Slim straichtened up an regairdit Lennie wi a grue.
"We'll hae tae get him tae a doctor," quo he. "Luiks tae me
like ilkie bane in his haun is brukken."

"I didnae wint tae," Lennie grat. "I didnae wint tae hurt
him."

Quo Slim, "Carlson, ye get the waggon ready. We'll tak
him intae Soledad an get him sortit oot." Carlson hashed
oot. Slim turned tae the whumperin Lennie. "It's nae yer
faat," quo he. "This vratch wis due somethin like this. Bit—
God Almichty! He's hardly got ony haun left." Slim hashed
oot, an in a meenit cam back wi a tin cup o watter. He held
it tae Curley's mou.

Quo George, "Slim, will we get sacked noo? We need the
siller. Will Curley's faither sack us noo?"

Slim smiled wry-like. He knelt doon aside Curley. "Hae
ye got yer senses in haun eneuch tae listen?" he speired.
Curley noddit. "Weel, syne, listen," Slim gaed on. "I think

ye got yer haun catched in a machine. Gin ye dinna tell fowk fit happened, we winna neither. Bit ye jist clype an ettle tae get this chiel sacked an we'll tell aabody, an syne ye'll luik a richt feel."

"I winna clype," quo Curley. He didnae luik at Lennie.

Buggy wheels soundit ootbye. Slim helpit Curley tae staun. "Cam on noo. Carlson's gaun tae tak ye tae a doctor." He helpit Curley oot the yett. The soun o wheels drew awa. In a meenit Slim cam back inno the bunkhoose. He luikit at Lennie, still cooerin feart agin the waa. "Let's see yer haun," he speired.

Lennie raxxed oot his hauns.

"God Almichty, I'd hate tae hae ye roosed at me," quo Slim.

George brukk in, "Lennie was jist fleggit," he explained. "He didna ken fit tae dae. I telt ye naebody should iver fecht him.Na, mebbe it wis Candy I telt."

Candy noddit solemn-like. "Thon's jist fit ye daen," quo he. "Richt this foreneen fin Curley first pykit intae yer frien, ye says, 'He'd better nae misfit Lennie gin he kens fit's gweed fur him.' Thon's jist fit ye says tae me."

George turned tae Lennie. "It wisnae yer wyte," quo. "Ye dinna need tae be feart ony mair. Ye jist dae fit I telt ye. Mebbe ye'd better ging inno the wash room an dicht yer physog. Ye luik hellish."

74

Lennie smiled wi his sair mou. "I didna wint ony tribble," quo he. He wauked tae the yett, bit jist afore he cam tae it, he furled roon "George?"

"Fit dae ye wint?"

"I can still keep the mappies, George?"

"Aye. Ye hinna daen naethin wrang."

"I didna mean ony herm, George."

"Weel, get the hell oot o here an dicht yer physog."

4

Crooks, the blaik stable loon, hid his bunk in the harness chaumer; a wee shed that leaned aff the waa o the barn. On ae side o the wee chaumer there wis a squar fower-peened windae, an on the ither, a nerra timmer yett leadin intae the barn. Crooks' bunk wis a lang boxie stappit wi strae, far his blankets wis flang. On the waa by the windae there wis pegs hung wi brukken harness in the mids o bein mendit; strips o new leather; an aneth the windae itsel a wee bench fur leather-wirkin tools, curved knives an needles an baas of linen threid, an a smaa haun riveter. On pegs there wis likewise bitties o harness, a riven collar wi the shelt hair stuffin cockin oot, a brukken ferlie, an a trace chyne wi its leather happin split. Crooks hid his aipple boxie ower his bunk, an in it a reenge o medicine bottlies, baith fur hissel an fur the shelts. There wis tinnies o saddle soap an a dreepy tinnie o tar wi its peint brush cockin ower the edge. An skittered aboot the fleer wis a rowth o personal gear; fur, bein alane, Crooks cud leave his things aboot, an bein a stable loon an a cripple, he wis mair permanent than the ither chiels, an he hid gaithered mair gear than he cud cairry on his back.

Crooks ained puckles o pairs o sheen, a pair o rubber buits, a muckle alarm clock an a single-barreled shotgun. An he ained buiks, as weel; a chittered dictionary an a manglit copy o the California ceevil code fur 1905. There wis chawed up magazines an a fyew fool buiks on a speecial shelf ower his bunk. A pair o muckle gowd-rimmed glaisses hung frae a nail on the waa abune his bed.

This chaumer wis swypit an fair snod, fur Crooks wis a prood, staun-affish chiel. He keepit his distance an demandit that ither fowk keep theirs. His body wis booed ower tae the left by his crookit rig bane, an his een lay deep in his heid, an because o their depth seemed tae glimmer wi virr. His shargeret physog wis scoored wi deep blaik wrunkles, an he hid thin, pain-tichtent lips that wis lichter than his physog.

It wis Setterday nicht. Throw the open yett that led intae the barn cam the soun o meevin shelts, o feet steerin, o teeth chaain on hye, o the clink o halter chynes. In the stable loon's chaumer a smaa electric bulb flang a shilpit yalla licht.

Crooks wis dowpit on his bunk. His sark wis oot o his jeans at the back. In ae haun he held a bottlie o ile, an wi the ither he rubbit his rig bane. Noo an then he poored a fyew draps o the eyntment inno his pink-palmed haun an raxxed up aneth his sark tae rub again. He streetched his muscles agin his back an chittered.

Sounlessly Lennie appeared at the open yett an stude thonner keekin in, his muckle shouders near fillin the openin. Fur a meenit Crooks didnae see him, bit on raisin his een he stiffened an a glower cam ower his physog. His haun cam oot frae aneth his sark.

Lennie smiled helpless-like in a tyauve tae mak friens.

Quo Crooks sherply, "Ye've got nae richt tae cam intae my chaumer. This is my chaumer. Naebody's got ony richt in here bit me."

Lennie swallaed an his smile grew mair priggin. "I'm sorry," quo he. "I've jist cam tae luik at ma puppy. An I seen yer licht," he explained.

"Weel, I've got a richt tae hae a licht. Ye ging awa an get ooto ma chaumer. I'm nae socht in the bunkhoose, an yer nae socht in ma chaumer."

"Foo are ye nae socht?" Lennie speired.

"Cause I'm blaik. They play cairds in thonner, bit I canna play because I'm blaik. They say I guff. Weel, I tell ye, ye aa guff tae me."

Lennie flappit his muckle hauns helpless-like. "Aabody gaed intae toon," quo he. "Slim an George an aabody. George says I hae tae bide here an nae get intae nae tribble. I seen yer licht."

"Weel, fit d'ye wint?"

"Naethin—I seen yer licht. I thocht I could jist cam in an dowp doon."

Crooks glowered at Lennie, an he raxxed ahin him an tuik doon the glaisses an plunkit them ower his pink lugs an glowered again. "I dinna ken fit yer daein in the barn onywye," he girned. "Yer nae a cuddy driver. There's nae need fur a ferm haun tae cam inno the barn at aa. Yer nae a cuddy driver. Ye've got naethin tae dae wi shelts or cuddies."

"The pup," Lennie repeatit. "I cam tae see ma pup."

"Weel, ging an see yer pup. Dinna cam intae a place far yer nae winted."

Lennie tint his smile. He steppit intae the chaumer, syne mindit an backit oot tae the yett again. "I luikit at them a whylie. Slim says I hinna tae pet them ower muckle."

Quo Crooks, "Weel, ye've bin takkin them oot o the nest aa the time. I winner the mither disnae meeve them somewey else."

"Och, she disna gee hersel. She lats me." Lennie hid meeved intae the chaumer again.

Crooks glowered, bit Lennie's braid smile connached him. "Cam on in an dowp doon a while," quo Crooks. "As lang as ye winna get oot an leave me alane, ye micht as weel dowp doon." His vyce wis a thochtie mair friendly. "Aa the lads hae gaen intae toon, eh?"

"Aa bit auld Candy. He jist bides in the bunkhoose sherpenin his pencil an sherpenin an coontin."

Crooks fichered wi his glaisses. "Coontin? Fit's Candy coontin aboot?"

Lennie near skreiched, "'Aboot the mappies."

"Yer gyte," quo Crooks. "You're gyte as a bawd in Merch. Fit mappies are ye spikkin aboot?"

"The mappies we're gaun tae get, an I'll get tae tak tent o them, cut girse an gie them watter, an things like thon."

"Yer clean daft," quo Crooks. "I dinna blame the lad ye traivel wi fur keepin ye ooto sicht."

Quo Lennie quaet-like, "It's nae a lee. We're gaun tae dae it. We're gaun tae get a wee placie an live aff the fat o the lan."

Crooks sattled hissel mair comfie on his bunk. "Dowp doon," he invited. "Sat yersel doon on the nail keg."

Lennie hunkered doon on the wee barrel. "Ye think it's a lee," quo Lennie. "Bit it's nae a lee. Ilkie wird's the truith, an ye can spear at George."

Crooks pit his derk chin inno his pink palm. "Ye traivel aroon wi George, divn't ye?"

"Aye. Me an him gings aawye thegither."

Crooks cairriet on. "Whyles he spikks, an ye dinna ken fit the Deil he's spikkin aboot. Am I richt?" He raxxed forrit, borin Lennie wi his deep een. "Am I richt?"

"Aye... whyles."

"Jist spikks on, an ye dinna ken fit the hell it's aa aboot?"

"Aye... whyles. Bit... nae aye."

Crooks raxxed forrit ower the edge o the bunk. "I'm nae a Suddron blaik," quo he. "I wis born richt here in California. Ma faither hid a chucken ferm, aboot ten acres. The fite kids eesed tae play on oor placie, an whyles I gaed tae play wi them, an puckles o them wis rael fine. Ma faither didna like thon. I niver kent till lang eftir foo he dida like thon. Bit I ken noo." He devauled, an fin he spakk again his vyce wis safter. "There wasn't anither blaik faimily fur miles aroon. An noo there isnae anither blaik chiel on this ranch an there's jist ae faimily in Soledad." He leuch. "Gin I say onything, weel it's jist a blaik sayin it."

Lennie speired, "Foo lang d'ye think it'll be afore thon pups will be auld eneuch tae pet?"

Crooks leuch again. "A chiel can spikk tae ye an ken ye winna gyang sklaikin. Twa wikks an thon pups'll be aa richt. George kens fit he's aboot. Jist spikks, an ye dinna unnerstaun naethin." He raxxed forrit excited. "This is jist a blaik spikkin, an a back-connached blaik. Sae it disnae mean naethin, see? Ye cudna mynd it onyweys. I've seen it ower an ower—a chiel spikkin tae anither chiel an it disnae mak ony difference gin he disnae hear or unnerstaun. The thing is, they're spikkin, or they're bidin quaet nae spikkin. It disnae mak nae difference, nae difference." His excitement had grown until he dunted his knee wi his haun. "George can tell ye daft things, an it disnae maiter. It's jist the spikkin. It's jist bein wi anither chiel. Thon's aa." He devauled.

His vyce grew saft an sleekit. "Suppose George didna cam back ony mair. Suppose he tuik nae weel an jist didnae cam back. Fit'll ye dae, syne?"

Lennie's attention cam slawly roon tae fit hid bin said. "Fit?" he speired.

"I said suppose George gaed intae toon the nicht an ye niver heard o him nae mair." Crooks raxxed forrit in some kind o private victory. "Jist suppose thon," quo he.

"He winna dae it," Lennie cried. "George widnae dae naethin like thon. I've bin wi George a lang time. He'll cam back the nicht—" Bit the doot wis ower muckle fur him. "Div ye nae think he will?"

Crooks' physog lichted wi pleisur in his torture. "Naebody can tell fit a chiel'll dae," quo he, calm-like. "Let's say he wints tae cam back an canna. Suppose he gets killt or hurtit sae he canna come back."

Lennie warssled tae unnerstan. "George winna dae naethin like thon," he repeatit. "George is cannie. He winna get hurtit. He's niver bin hurtit, cause he's cannie."

"Weel, suppose, jist suppose he disnae cam back. Fit'll ye dae syne?"

Lennie's physog wrunkled wi fear. "I dinna ken. Heh, fit are ye daein onywye?' he cried. "This isnae true. George isnae hurtit."

Crooks bored in on him. "Wint me tae tell ye fit'll happen? They'll tak ye tae the daftie hoose. They'll tie ye up wi a collar, like a tyke."

O a suddenty Lennie's een nerraed an grew quaet, an roosed. He stude up an wauked dangerously tae Crooks. "Fa hurtit George?" he speired.

Crooks saw the danger as it neared him. He hodged back on his bunk tae get oot o the wye. "I wis jist supposin," quo he. "George isnae hurtit. He's aa richt. He'll be back aa richt."

Lennie stude ower him. "Fit are ye supposin fur? Naebody's gaun tae suppose nae hurt tae George."

Crooks tuik aff his glaisses an dichtit his een wi his fingers. "Jist sattle doon," quo he. "George isnae hurtit."

Lennie gurred back tae his seat on the nail keg. "Naebody's gaun tae spikk aboot hurtin George," he grummlit.

Quo Crooks saftly, "Mebbe ye can see noo. You hae George. Ye *ken* he's gaun tae cam back. Suppose ye didnae hae onybody. Suppose ye cudna ging intae the bunkhoose an play rummy cause ye wis blaik. Foo'd ye like thon? Suppose ye hid tae sit oot here an read buiks. Aye, ye cud play haivin shelts' sheen till it got derk, bit syne ye'd hae tae read buiks. Buiks is nae eese. A chiel needs somebody— tae be near him." He girned, "A chiel gings gyte if he hisnae got onybody. It disnae mak ony difference fa the chiel is, as lang's he's wi ye. I tell ye," he cried, "I tell ye a chiel gets ower lanely an he turns nae weel."

"George's gaun tae cam back," Lennie reassured hissel in a frichtit vyce. "Mebbe George his cam back already. Mebbe I'd better gyang an mak siccar."

Quo Crooks, "I didnae mean tae fleg ye. He'll cam back. I wis spikkin aboot masel. A chiel bides alane oot here at nicht, mebbe readin buiks or thinkin or styte like thon. Whyles he gets thinkin, an he's got naethin tae tell him fit's real an fit's nae real. Mebbe if he sees somethin, he disnae ken whether it's richt or nae. He canna turn tae some ither chiel an speir at him if he sees it as weel. He canna tell. He's got naethin tae meisur it by. I've seen things oot here. I wisna bleezin. I dinna ken if I wis asleep. Gin some chiel wis wi me, he cud tell me I wis asleep, an syne it wid be aa richt. But I jist dinna ken." Crooks wis luikin ben the chaumer noo, luikin tae the windae.

Quo Lennie, dowie,"George widnae ging awa an leave me. I ken George widnae dae thon."

The stable lad gaed on in a dwaum, "I mynd fin I wis a wee bairn on ma faither's chucken ferm. I'd twa brithers. They wis aywis near me, aywis thonner. They eesed tae sleep richt in the same chaumer, richt in the same bed—aa three. We hid a straaberry patch. We hid an alfalfa patch. We eesed tae lowse the chuckens oot in the alfalfa on a sunny foreneen. Ma brithers'd sit on a fence rail an watch them—fite chuckens they wis."

84

Gradually Lennie's interest cam aroon tae fit wis bein said. "George says we're gaun tae hae alfalfa fur the mappies."

"Fit mappies?"

"We're gaun tae hae mappies an a berry patch."

"Ye're gyte."

"We are though. Ye speir at George."

"Ye're gyte." Crooks gaed Lennie the hee-haa. "I've seen hunners o chiels cam by on the road an on the ranches, wi their pyokes on their back an thon same dampt dream in their heids. Hunners o them. They cam, an they quit an gae on; an ilkie dampt ane o them's got a wee swatch o lan in his heid. An niver a dampt ane of them iver gets it. Jist like heiven. Aabody wints a wee swatch o lan. I read a rowth o buiks oot here. Naebody iver gets tae heiven, an naebody gets nae lan. It's just in their heid. They're aa the time spikkin aboot it, bit it's jist in their heid." He dauchled an luikit tae the open yett, fur the shelts wis meevin restless and the halter chynes clinkit. A shelt whinnied. "I jalouse somebody's oot thonner," quo Crooks. "Mebbe Slim. Slim cams in whyles twa, three times a nicht. Slim's a real shelt driver. He luiks oot fur his team." He rugged hissel painfu upricht an meeved tae the yett. "Is that yersel, Slim?" he speired.

Candy's vyce made repon. "Slim gaed intae toon. Heh, hiv ye seen Lennie?"

"Ye mean the muckle chiel?"

"Aye. Hae ye seen him aroon onywye?"

"He's in here," quo Crooks, shortsome. He gaed back tae his bunk an lay doon.

Candy stude in the yett scrattin his bauld wrist an luikin blin intae the lichted chaumer. He made nae attempt tae ging. "Tell ye fit, Lennie. I've bin wirkin things oot aboot thon mappies."

Quo Crooks, ill-naturet, "Ye can cam in gin ye wint."

Candy seemed affrontit. "I dinna ken. Of course, gin ye wint me tae."

"Cam on in. Gin aabody's comin in, ye micht jist as weel." It was hard fur Crooks tae hide his pleisur wi roose.

Candy cam in, bit he wis aye affrontit, "Ye hae a fine cosie wee neuk in here," quo Crooks. "Maun be gran tae hae a chaumer aa tae yersel this wey."

"Aye," quo Crooks. "An a midden aneth the windae. Aye, it's the bee's knees."

Lennie brukk in, "Ye wis spikkin aboot thon mappies."

Candy leaned teetle the waa aside the brukken collar while he scrattit the wrist stump. "I've bin here a lang time," quo he. "An Crooks his bin here a lang time. This's the first time I've iver bin in his chaumer."

Quo Crooks derksome, "Cheils dinna cam intae a blaik lad's chaumer ower muckle. Naebody's bin here bit Slim. Slim an the maister."

Candy cheenged the subjeck faist. "Slim's as gweed a cuddy-driver as I've iver seen."

Lennie raxxed forrit tae the auld bodach. "Aboot thon mappies," he gaed on.

Candy smiled. "I hae it aa wirked oot. We can mak some siller on them mappies if we ging aboot it richt."

"Bit I get tae tak tent o them," Lennie brukk in. "George says I get tae tak tent o them. He promised."

Crooks brak in nesty-like. "Ye chiels is jist kiddin yersels. Ye'll spikk aboot it a helluva lot, bit ye winna get ony lan. Ye'll be be daen orra jobs here till they tak ye oot in a kist. Hell's bells, I've seen ower mony chiels. Lennie here'll quit an be on the road in twa, three wikks. It seems like ilkie chiel's got lan in his noddle."

Candy rubbit his chikk roosed. "Yer dampt richt we're gaun tae dae it. George says we are. We've got the siller richt noo."

"Aye?" quo Crooks. "An far's George noo? In toon in a hoor hoose. Thon's far yer siller's gaun'. God's sake, I've seen it happen ower mony times. I've seen ower mony chiels wi lan in their heid. They niver get nane aneth their fit."

Candy cried, "Aye, they aa wint it. Aabody wints a wee bit o lan, nae muckle. Jist somethin that's his. Somethin he cud bide on an naebody cud haive him aff o. I niver hid nane. I plantit craps fur dampt near aabody in this state, bit they wisnae ma ain craps, an fin I hairstit them, it wasnae ma ain hairst. Bit we're gaun tae dae it noo, an dinna ye mak ony mistak aboot it. George hisnae got the siller in toon. Thon siller's in the bank. Me an Lennie an George. We're gaun tae hae a chaumer tae oorsels. We're gaun tae hae a tyke an mappies an chuckens. We're gaun tae hae green corn an mebbe a coo or a goat." He stoppit, fair taen wi his pictur o't.

Crooks speired, "Ye say ye've got the siller?"

"Dampt richt we hae the siller. We've got maist o it. Jist a wee bittie mair tae get. We'll hae it aa in ae month. George's got the lan aa pykit oot, as weel."

Crooks raxxed aroon an fingered his rig bane wi his hauin. "I've niver seen a chiel really dae it," quo he. "I've seen chiels gae nearly gyte wi langin fur land, bit ilkie time a hoorhoose or a blackjack game tuik fit wis nott." He devauled "…Gin ye… chiels wid wint a lad tae wirk fur naethin—jist his keep, weel I'd cam an len a haun. I'm nae sae crippled that I canna wirk like a steam-haimmer gin I wint tae."

"Hae ony o ye loons seen Curley?"

They furled their heids tae the yett. Luikin in wis Curley's wife. Her physog wis clartit wi peint. Her lips wis slichtly pairtit. She breathed strangly, as tho she'd bin rinnin.

"Curley hisnae bin here," quo Candy dourly.

She stude still in the doorwey, smilin a thochtie at them, rubbin the nails o ae haun wi the thoomb an forefinger o the ither. An her een traivelled frae ae physog tae anither. "They left aa the dweeble anes here," quo she at the hinnereyn. "Ye think I dinna ken far they aa gaed? Even Curley. I ken far they aa gaed."

Lennie watched her, dumfounert, bit Candy an Crooks wis glowerin doon awa frae her een. Quo Candy, "Weel gin ye ken, foo are ye speirin at us far Curley is?"

She regairded them wi a lauch. "It's a fey thing," quo she. "Gin I catch ony ae chiel, an he's alane, I get alang dandy wi him. Bit jist lat twa o the lads get thegither an ye winna spikk. Jist naethin bit daft." She drappit her fingers an pit her hauns on her dowp. "Yer aa feart o each ither, thon's fit. Ilkie ane o ye's feart the lave'll get somethin tae use agin ye."

Eftir a meenit Crooks telt her, "Mebbe ye'd better ging alang tae yer ain hoose noo. We dinna wint ony tribble."

"Weel, I'm nae giein ye ony tribble. Ye think I dinna like tae spikk tae somebody aince in a whylie? Div ye think I like tae bide in thon hoose aa the time?"

Candy pit the stump o his wrist on his knee an rubbit it saftly wi his haun. Quo he accusin-like, "Ye hae a man. Ye've got nae need tae play aroon wi ither chiels, causin a stooshie."

The quine flew up in a fleerich. "Oh aye, I've got a man. Ye've aa seen him. Rare lad, isn't he? He spens aa his time sayin fit he's gaun tae dae tae chiels he disnae like, an he disnae like onybody. Dae ye think I'm gaun tae bide in thon twa -by-fower hoose an lippen tae foo Curley's gaun tae lead wi his left twice, an syne bring in the auld richt cross?

'Ane-twa,' he says. 'Jist the auld ane-twa an he'll ging doon.' She dauchlet an her physog tint its sulky luik an grew interestit. "Heh—fit happened tae Curley's haun?"

There wis an affrontit seelence. Candy teeted at Lennie. Syne he hoastit. "Weel… Curley… he got his haun catched in a machine, mistress. It blootered his haun."

She watched fur a meenit, an syne she leuch. "Keech! Fit dae ye think yer sellin me? Curley stertit somethin he didna feenish. Catched in a machine—keech! Weel he hisnae gien onybody the gweed auld ane-twa since he got his haun connached. Fa beat him?"

Candy repeatit dourly, "He got it catched in a machine."

"Aa richt," quo she scunnered. "Aa richt, lee for him gin ye wint tae. Fit div I care? Ye vratches think yer sae dampt gweed. Fit div ye think I am? I tell ye I cud hae gaen on the stage. Nae jist ane, neither. An a chiel telt me he cud pit me in the picturs…" She wis braithless wi indignation. "—Setterday nicht. Aabody oot daein somethin. Aabody! An fit am I daein? Staunin here spikkin tae a boorich o gangrels—a blaik an a gype an a mochie auld yowe—an likin it because there arena naebody else."

Lennie watched her, his mou hauf open. Crooks hid sunk inno the unca defensive dignity o the blaik. Bit a cheenge cam ower auld Candy. He stude up o a suddenty an caad his nail keg ower backweys. "I've hid eneuch," quo he in a roose. "Ye're nae wintit here. We telt ye ye waurna. An I tell ye, ye've got daft ideas aboot fit us chiels amoonts tae.

Ye hinna got sense eneuch in thon chucken heid tae see that we arenae gangrels. Suppose ye get us sacked. Suppose ye dae. Ye think we'll gae back tae the highwye an look fur anither moch-etten wirthless job like this. Ye dinna ken that we've got oor ain ranch tae gae tae, an oor ain hoose. We're nae gaun tae bide here. We've got a hoose an chuckens an fruit trees an a placie a hunner time bonnier than this. An we've got friens, that's fit we've got. Mebbe there wis a time fin we wis feart o gettin sacked, bit we're nae ony mair. We've got oor ain lan, and it's oors, an we can ging tae it."

Curley's wife leuch at him. "Styte," quo she. "I've seen ower mony o ye chiels. If ye hid twa dollars in the warld, ye'd be buyin twa drams o fuskey wi it an sookin the boddom o the glaiss. I ken ye chiels."

Candy's physog hid grown reidder an reidder, bit afore she wis daen spikkin, he hid control o hissel. He wis the maister o the situation. "I micht hae kent," quo he doucely. "Mebbe ye'd jist better clear aff. We hinna got naethin tae say tae ye at aa. We ken fit we've got, an we dinna care whether ye ken it or nae. Sae mebbe ye'd better jist clear aff, cause Curley mebbe winna like his wife bein oot in the barn wi us 'gangrel bodies'."

She luikit from ae physog tae anither, an they wis aa steekit agin her. An she luikit langest at Lennie, until he drappit his een, affrontit. O a suddenty she speired, "Far'd ye get thon bruises on yer physog?"

Lennie luikit up guilty-like. "Fa—me?"

"Aye, ye."

Lennie luikit tae Candy fur help, an syne he luikit doon at his lap again. "He got his haun catched in a machine," quo he.

Curley's wife leuch. "Aa richt, Machine. I'll spikk tae ye later. I like machines."

Candy brak in. "Ye lat this chiel alane. Dinna ye play aroon wi him. I'm gaun tae tell George fit ye says. George winna hae ye playin aboot wi Lennie."

"Fa's George?" she speired. "Thon wee chiel ye cam wi?"

Lennie smiled blythely. "Thon's him," quo he. "Thon's the chiel, an he's gaun tae let me tak tent o the mappies."

"Weel, gin thon's aa ye wint, I micht get a pair o mappies masel."

Crooks raise up frae his bunk an squared up tae her. "I've hid eneuch," quo he cauldly. "Ye've got nae richts comin intae a blaik chiel's chaumer. Ye've got nae richts paradin aroon in here at aa. Noo ye jist get oot, an get oot quick. If ye dinna, I'm gaun tae tell the maister nae tae iver lat ye cam in the barn nae mair."

She turned on him, doonpitten. "Tak tent, blaik," quo she. "Ye ken fit I can dae tae ye gin ye open yer mou?"

Crooks glowered eeselessly at her, an syne he sat doon on his bunk an sank intae hissel.

She roondit on him. "Ye ken fit I cud dae?"

Crooks seemed tae grow smaaer, an he pressed hissel agin the waa. "Aye, mistress."

"Weel, ye keep yer place syne, blaik. I cud get ye strung up on a tree sae easy it's nae even funny."

Crooks hid shrunk hissel tae naethin. There wis nae virr, nae ego—naethin tae cause either likin or nae likin. Quo he, "Aye, mistress," an his vyce wis toneless.

Fur a meenit she stude ower him as tho wytin fur him tae meeve sae that she cud rage at him again; bit Crooks sat as still's a steen, his een dooncast, aathin that micht be hurtit drawn in. She turned roon at last tae the ither twa.

Auld Candy wis watchin her, enthralled. "Gin ye wis tae dae thon, we'd tell," quo he, quaet. "We'd clype aboot ye framin Crooks."

"Clype an be dampt," she cried. "Naebody'd lippen tae ye, an ye ken it. Naebody'd lippen tae ye."

Candy quaetened doon. "Na…" he agreed. "Naebody'd lippen tae us."

Lennie girned, "I wish George wis here. I wish George wis here."

Candy steppit ower tae him. "Dinna ye fash yersel," quo he. "I jist heard the lads comin in. George'll be in the bunkhoose richt noo, I jalouse." He turned tae Curley's wife. "Ye'd better ging hame noo," quo he saftly. "Gin ye ging richt noo, we winna tell Curley ye wis here."

She sized him up cauldly. "I'm nae sure ye heard onything."

"Better nae tak ony chaunces," quo he. "Gin ye arenae sure, ye'd better tak the safe option."

She turned tae Lennie. "I'm gled ye blootered Curley a wee bit. He hid it comin tae him. Whyles I'd like tae blooter him masel." She slippit ooto the yett an disappeared intae the derk barn. An while she gaed ben the barn, the halter chynes chinkit, an a puckle shelts sniftered an ithers stampit their feet.

Crooks seemed tae cam slawly oot o the layers o defence he'd pit on. "Wis thon the truith fit ye said aboot the lads bein back?" he speired.

"Aye. I heard them."

"Weel, I didna hear naethin."

"The yett banged," quo Candy, an he gaed on, "God Almichty, Curley's wife can meeve quaet. I jalouse she hid a rowth o practice, tho."

Crooks jinkit the hale subjeck noo. "Mebbe ye lads better gyang," quo he. "I'm nae sure I wint ye in here nae mair. A blaik chiel's got tae hae some richts even if he disnae like them."

Quo Candy, "Thon bitch shouldnae hae said thon tae ye."

"It wisnae naethin," quo Crooks dourly. "Ye lads camin in an dowpin doon gart me forget. Fit she says is true."

The shelts snichered oot in the barn an the chynes chinkit an a vyce cried, "Lennie. Heh, Lennie. Are ye in the barn?"

"It's George," quo Lennie. An he made repon, "Here, George. I'm richt in here."

In a glisk George stude framed in the yett, an he luikit disapprovin aboot. "Fit are ye daein daein in Crooks' chaumer? Ye shouldnae be in here."

Crooks noddit. "I telt them, bit they cam in onywey."

"Weel, foo didn't ye haive them oot?"

"I wisnae bothered," quo Crooks. "Lennie's a fine chiel."

Noo Candy raised hissel up. "Oh, George! I've bin thinkin an thinkin. I've got it wirked oot foo we can even mak some siller on thon mappies."

George frooned. "I thocht I telt yae nae tae tell onybody aboot thon."

Candy wis dowie. "I didnae tell onybody bit Crooks."

Quo George, "Weel ye chiels get oot o here. God Almichty, seems like I canna ging awa fur a meenit."

Candy an Lennie stude up an gaed tae the yett. Crooks cried, "Candy!"

"Fit?"

"'Mynd fit I said aboot hyowin an daein orra jobbies?"

"Aye," quo Candy. "I mynd."

"Weel, jist forget it," quo Crooks. "I didnae mean it. Jist jokin. I widnae wint tae ging tae ony place like thon."

"Weel, aa richt, gin ye feel like thon. Gweed nicht."

The three chiels gaed oot o the yett. As they gaed throw the barn the shelts snichered an the halter chynes chinkit.

Crooks dowpit doon on his bunk an lookit at the yett fur a meenit, an syne he raxxed fur the ile bottlie. He rugged oot his sark frae his back, poored a wee ile in his pink palm an, raxxin roon, he stertit slawly rubbin his back.

5

Ae eyn o the muckle barn wis stappit heich wi new hye an ower it aa hung the fower-clooked Jackson fork danglin frae its pulley. The hye cam doon like a brae side tae the ither eyn o the barn, an there wis a level placie as yet nae stappit wi the new crap. At the sides the feedin racks wis shawin, an atween the slats the heids o shelts cud be seen.

It wis the Sabbath efterneen. The restin shelts chawed the lave o the tooshts o hey, an they duntit their feet an they bit the timmer o the staas an dirdit the halter chynes. The efterneen sun sliced in throw the cracks o the barn waas an lay in bricht lines on the hey. There wis the bizz o flees in the air, the lazy efterneen hummin.

Frae ootbye cam the ching o shelts' sheen on the playin peg an the skreichs o chiels, playin, geein up, jeerin. Bit in the barn it wis quaet an hummin an lazy an warm.

Anely Lennie wis in the barn, an Lennie dowpit doon in the hye aside a packin kist aneth a staa in the eyn o the barn that hidnae bin stappit wi hye. Lennie dowpit doon in the

97

hye an luikit at a wee deid pup that lay in afore him. Lennie luikit at it fur a lang time, an syne he pit oot his muckle haun an straiked it, straiked it clear frae ae eyn tae the ither.

An quo Lennie saftsome tae the pup, "Foo did ye hae tae get killt? Yer nae sae wee as a moose. I didna stot ye hard." He booed the pup's heid up an luikit in its physog, an quo he tae the pup, "Noo mebbe George winna lat me tak tent o the mappies, gin he finns oot ye got killt.'

He howked oot a wee howe an laid the pup in it an happit it ower wi hye, oot o sicht; bit he aye glowered at the howpie he'd biggit. Quo he, "This isnae a coorse eneuch thing fur me tae hae tae hide in the buss. Na, na. It's nae. I'll tell George I fand it deid."

He unbeeriet the pup an luikit it ower, an he straiked it frae lugs tae boddom. He gaed on, waesome, "Bit he'll ken. George aye kens. He'll say, 'Ye did it. Dinna try tae lee tae me.' An he'll say, 'Noo jist fur thon ye dinna get tae tak tent o nae mappies!'"

O a suddenty his birse raise up. "Damn ye," he cried. "Foo did get killt? Yer nae sae wee as a moose." He heistit the pup an haived it frae him. He turned his back on it. He sat booed ower his knees an he fuspered, "Noo I winna get tae tak tent o the mappies. Noo he winna lat me." He rocked hissel back an furth in his wae.

Frae ootbye cam the ching o shelts sheen on the iron stake, an syne a wee chorus o skreichs. Lennie raise up an brocht the pup back an laid it on the hye an dowpit doon.

He straikit the pup again. "Ye wisnae big eneuch," quo he. "They telt me an telt me ye wisnae. I didnae ken ye'd get killt sae easy." He wirkit his fingers on the pup's dweeble lug. "Mebbe George winna care," quo he said. "Thon dampt wee dug meant naethin tae George."

Curley's wife cam aroon the eyn o the hinmaist staa. She cam unca quaet, sae that Lennie didna see her. She wis weirin her bricht cotton frock an the safties wi the reid ostrich feathers. Her physog wis peintit up an the wee sausage curls wir aa in place. She wis richt aside him afore Lennie luikit up an spied her.

Feart, he haived hye ower the pup wi his fingers. He luikit dowie up at her.

Quo she, "Fit d'ye hae there, loon?"

Lennie glowered at her. "George says I hinna tae hae naethin tae dae wi ye—nae spikkin, nae onythin."

She leuch. "Dis George gie ye orders aboot aathin?"

Lennie luikit doon at the hye. "He says I canna tak tent o nae mappies gin I spikk tae ye or onythin."

Quo she quaet-like, "He's feart Curley'll get roosed. Weel, Curley's got his airm in a sling—an gin Curley gets like tae fecht, ye can brak his ither haun. Ye didnae pit onythin ower on me aboot getting it catched in nae machine."

But Lennie wisnae taen in. "Na faith. I'm nae gaun tae spikk tae ye or naethin."

She knelt doon in the hye aside him. "Lippen," quo she. "Aa the chiels hae a shelts' sheen game gaun on. It's anely aboot fower o'clock. Nane o thon chiels is gaun tae leave thon gemme. Foo can't I spikk tae ye? I niver get tae spikk tae naebody. I get awfu lanely."

Quo Lennie, "Weel, I'm nae supposed tae spikk tae ye or naethin."

"I get lanely,"quo she. "Ye can spikk tae fowk, bit I canna spikk tae naebody bit Curley, or else he flees intae a rage. Foo'd ye like nae tae spikk tae onybody?"

Quo Lennie, "Weel, I'm nae supposed tae. George's feart I'll get in tribble."

She cheenged the subjeck. "Fit hae ye happit up thonner?"

Syne aa o Lennie's wae cam back tae him. "Jist ma pup," quo he, dowie. "Jist ma wee pup." An he swypit the hey frae the tap o't.

"Och, he's deid," she cried.

"He wis sae wee," quo Lennie. "I wis jist playin wi him… an he ettlit tae bite me… an I made on I wis gaun tae skelp him… an… an I daen it. An syne he wis deid."

She consoled him. "Dinna ye fash yersel. He wis jist a tyke. Ye can get anither ane easy. The hale kintra's heezin wi tykes."

"It's nae thon sae muckle," Lennie telt her waesome. "George winna lat me tak tent o nae mappies noo."

"Foo will he nae?"

"Weel, he says gin I dae ony mair coorse things he's nae gaun tae lat me tak tent o the mappies."

She meeved nearer him an she spakk soothin. "Dinna ye fash yersel aboot spikkin tae me. Lippen tae the chiels skreich oot thonner. Lippen tae the chiels' skreichs ootbye. They've aa pit fower dollars in thon gemme. Nane o them are gaun tae leave till it's ower."

"Gin George sees me spikkin tae ye he'll gie me hell," quo Lennie cannie. "He telt me."

Her physog grew roosed. "Fit's the maiter wi me?" she speired. "Hiv I got a richt tae spikk tae? Fit div they think I am, onywey? Yer a fine chiel. I dinna ken foo I canna spikk tae ye. I'm nae daein ye ony herm."

"Weel, George says ye'll get us intae tribble."

"Ach, styte!" quo she. "Fit kindo herm am I daein tae ye? It's like naebody cares foo I've got tae live. I tell ye I'm nae eesed tae livin like this. I cud hae made somethin o masel." Quo she derkly, "Mebbe I will yet." An syne her wirds tummlit oot in a hurlygush o spikk, as tho she hashed on afore her listener cud be taen awa. "I bedd richt here in Salinas," quo she. "I cam here fin I wis a bairn. Weel, a show cam ben, an I met ane o the actors. He said I cud ging wi thon show. Bit ma mither widnae lat me. She said it wis cause I wis anely fifteen. Bit thon chiel said I cud hae. Gin I'd gaen, I widnae be bidin like this, ye ken."

Lennie straiked the pup back an forrit. "We're gaun tae hae a wee placie—an mappies," he telt her.

She gaed on wi her tale faist, afore he cud brak in. "Anither time I met a chiel, an he wis in picturs. I gaed oot tae the Burnside Daunce Palace wi him. He said he wis gaun tae pit me in the films. He said I wis a natural. As sune's he got back tae Hollywid he wis gaun tae scrieve tae me aboot it." She keekit close at Lennie tae see whether she wis impressin him. "I niver got thon letter," quo she. "I aywis thocht ma mither chored it. Weel, I wisnae gaun tae bide ony place far I cudna get naewye or mak somethin o masel, an far they chored ma letters, I speired at her if she chored it, as weel, an she said she didna. Sae I mairriet Curley. I met him oot at the Burnside Daunce Palace thon same nicht." She demandit, "Are ye lippenin?"

"Me? Aye."

"Weel, I hinna telt this tae naebody afore. Mebbe I shouldnae tell. I dinna *like* Curley. He's nae a fine chiel." An cause she'd confided in him, she meeved nearhaun Lennie an dowpit aside him. "I cud hae bin in the films, an hid braw claes—aa thon braw claes like they weir. An I cud hae bin in thon gran hotels, an hid picturs taen o me. Fin they hid thon previews I cud hae gaed tae them, an spakk on the radio, an it wadnae hae cost me a cent cause I wis in the pictur. An aa thon braw claes they weir. Cause this chiel said I wis a natural." She keekit up at Lennie, an she made a smaa gran gesture wi her airm an haun tae shaw that she cud act. The fingers trailed efter her leadin wrist, an her crannie cocked oot fantooshly frae the lave.

Lennie soughed deep. Frae ootbye cam the ching o a shelt shee on metal, an syne a chorus o cheers. "Somebody made a ringer," quo Curley's wife.

Noo the licht wis dwinin as the sun gaed doon, an the sun straiks sclimmed up the waa an fell ower the feedin racks an ower the heids o the shelts.

Quo Lennie, "Mebbe gin I tuik this pup oot an haived him awa George widnae iver ken. An syne I cud tak tent o the mappies withoot ony tribble."

Quo Curley's wife roosed, "Div ye nae think o naethin bit mappies?"

"We're gaun tae hac a wee placie," quo Lennie patient-like. "We're gaun tae hae a hoose an a gairden an a placie fur alfalfa, an thon alfalfa is fur the mappies, an I'll tak a pyoke an stap it fu o alfalfa an syne I tak it tae the mappies."

She speired, "Fit maks ye sae daft aboot mappies?"

Lennie hid tae think cannie afore he cud kent fit tae say. He meeved cannily teetle her, until he wis richt agin her. "I like tae pet braw things. Aince at a fair I saw a puckle o thon lang-haired mappies. An they wis bonnie, ye bet. Whyles I've even pettit a moose, bit nae fin I couldnae get onythin better."

Curley's wife meeved awa frae him a thochtie. "I think yer gyte," quo she.

"Na I'm nae," Lennie telt her, earnest. "George says I'm nae. I like tae pet bonnie things wi ma fingers, saft things."

She wis a wee bittie reassured. "Weel, fa disnae?" quo she. "Aabody likes thon. I like tae finn silk an velvet. D'ye like tae straik velvet?"

Lennie kecklit wi pleisur. "By God aye," he cried blithely. "An' I hid some, as weel. A wifie gied me some, an thon wifie wis—ma ain Aunt Clara. She gied it richt tae me— about this size o a swatch. I wish I hid thon velvet richt noo." A froon cam ower his physog. "I tint it," quo he. "I hinna seen it fur a lang time."

Curley's wife leuch at him. "Yer gyte," quo she. "Bit yer a kind o fine chiel. Jist like a muckle baby. Bit a body can see kind o fit ye mean. Fin I'm daein ma hair whyles I jist sit an straik it cause it's sae saft." Tae shaw foo she did it, she ran her fingers ower the tap o her heid. "Some fowk hae kind o roch hair," quo she said complacent-like. "Tak Curley. His hair is jist like wire. Bit mine is saft an fine. Course I brush it aften. That maks it fine. Here—feel richt here." She tuik Lennie's haun an pit it on her heid. "Feel right aroon there an see foo saft it is."

Lennie's muckle fingers straiked her hair.

"Dinna ye raivel it up," quo she.

Lennie made repon, "Och! Thon's fine," an he straiked harder. "Och, thon's fine."

"Ca cannie noo, ye'll soss it." An syne she cried angeret, "Ye stoppit noo, ye'll soss it aa up." She yarked her heid sidewyes, an Lennie's fingers grippit her hair an hung on. "Let it be," she skirled. "Ye let it alane!"

Lennie wis in a fine fizz. His physog wis agley. She skeiched syne, an Lennie's ither hand happit her moo an snoot. "Please dinna," he prigged. "Oh! Please dinna dae thon. George'll be roosed."

She warssled frantic aneth his hauns. Her feet duntit on the hye an she <u>tcyauved</u> tae be free; an frae unner Lennie's haun cam a hauf smored skirlin. Lennie stertit tae greet wi fricht. "Oh! Please dinna dae ony o thon," he prigged. "George'll say I've daen a coorse thing. He winna lat me tak tent o nae mappies." He meeved his haun a thochtie an her hairse greet cam oot. Syne Lennie grew angeret. "Noo dinna," quo he. "I dinna wint ye tae skirl. Yer gaun tae get me in tribble jist like George said ye wid. Noo dinna ye dae thon." An she cairriet on warsslin an her een wir wud wi fricht. He shook her syne, an he wis angeret wi her. "Dinna ye ging skirlin," quo he, an he shook her; an her body flappit like a fish. An syne she wis still, fur Lennie hid brukken her thrapple.

He luikit doon at her, an cannie-like he tuik his haun frae ower her mou, an she lay still. "I dinna wint tae hurt ye," quo he, "bit George'll be roosed gin ye skirl." Fin she didna mak repon nur meeve he booed close ower her. He heistit her airm an lat it drap. Fur a meenit he wis dumfounert. An syne he fuspered in fricht, "I've daen a coorse thing. I've daen anither coorse thing."

He heistit up the hye until it pairtly happit her.

Frae ootbye the barn cam a skreich o chiels an the double ching o sheen on metal. Fur the first time Lennie becam conscious o ootbye. He cooried doon in the hye an lippent. "I've daen an unca coorse thing," quo he. "I shouldnae hae daen thon. George'll be roosed. An… he said… an hide in the buss till he cams. He's gaun tae be roosed. In the buss till he cams. Thon's fit he said." Lennie gaed back an luikit at the deid quine. The pup lay nearhaun her. Lennie pykit it up. "I'll haive him awa," quo he. "It's ill eneuch like it is." He pit the pup aneth his jaiket, an he creept tae the barn waa an teetit oot atween the cracks, tae the shelts' sheen game. An syne he creepit aroon the eyn o the hinmaist manger an disappeared.

The sun straiks wir heich on the waa by noo, an the licht wis growin saft in the barn. Curley's wife lay on her back, an she wis hauf happit wi hye.

It wis unca quaet in the barn, an the quaet o the efterneen wis on the ranch. Even the ching o the haived sheen, even the vyces o the chiels in the game, seemed tae grow mair quaet. The air in the barn wis mirk in advance o the day ootbye. A doo flew in throw the open hye yett an cercled an flew oot again. Aroon the hinmaist staa cam a shepherd tyke, shargeret an lang, wi wechty, hinging titties. Haufwye tae the packin boxie far the pups wir she catched the deid guff o Curley's wife, an the hair raise alang her rig bane. She grat an slunk tae the packin boxie, an lowped in amang the pups.

106

Curley's wife lay wi a hauf-happin o yalla hye. An the coorseness an the plannins an the ill-content an the langin fur attention wir aa gaen frae her physog. She wis unca bonnie an simple, an her physog wis douce an young. Noo her peintit chikks an her crammosie lips gart her seem leevin an sleepin affa lichtly. The curls, teenie-weenie sausages, wir spreid on the hye ahin her heid, an her lips wir pairted.

As happens whyles, a meenit sattled an dauchled an bedd fur much mair than a meenit. An soun stoppit an meevement stoppit fur much, much mair than a meenit.

Syne bittie by bittie time waukened again an meeved slawly on. The shelts stampit on the ither side o the feedin racks an the halter chynes chinkit. Ootbye, the chiels' vyces becam looder an clearer.

Frae aroon the eyn o the hinmaist staa auld Candy's vyce cam. "Lennie," he cried. "Och, Lennie! Are ye in here? I've bin thinkin some mair. I'll tell ye fit we can dae, Lennie." Auld Candy appeared aroon the eyn o the hinmaist staa. Heh, Lennie!" he cried again; an syne he stoppit, an his body stiffened He rubbit his smeeth wrist on his fite stibble fuskers. "I didnae ken ye wis here," quo he tae Curley's wife.

Fin she didnae mak repon, he steppit nearer. "Ye shouldnae sleep oot here," quo he, rael doonpitten; an syne he wis aside her an—"Oh, God Almichty!" He luikit aboot eeselessly, an he rubbit his fuskers. An syne he lowpit up an gaed faist ooto the barn.

Bit the barn wis steerin noo. The shelts stampit an snochert, an they chaad the strae o their beddin an they clunkit the chynes o their halters. In a meenit Candy cam back, an George wis wi him.

Quo George, "Fit wis it ye winted tae see me aboot?"

Candy pyntit tae Curley's wife. George glowered. "Fit's the maiter wi her?" he speired. He steppit nearer, an syne he echoed Candy's wirds. "Oh, God Almichty!" He wis doon on his knees aside her. He pit his haun ower her hairt. An syne, fin he stude up, slaw an stiff, his physog wis as hard an ticht as wid, an his een wis hard.

Candy speired, "Fit did it?"

George luikit cauldly at him. "Div ye nae ken?' he made repon. An Candy wis seelent. "I should hae kent," quo George, hopeless. "I jalouse mebbe at the back o ma heid I did."

Candy speired, "Fit are we gaun tae dae noo, George? Fit are we gaun tae dae noo?"

George wis a lang time in makkin a repon. "Weel... we'll hae tae tell the... lads. I jalouse we'll hae tae catch him an jyle him. We canna lat him get awa. The puir bastard wid sterve." An he tried tae reassure hissel. "Mebbe they'll jyle him an be gweed tae him."

Bit quo Candy in a fizz, "We shouldnae let him get awa. Ye dinna ken thon Curley. Curley's gaun tae wint tae get him lynched. Curley'll get him killt."

George watched Candy's lips. "Aye," quo he at last, "thon's richt, Curley will. An the ither lads will." An he luikit back at Curley's wife.

Noo Candy spakk his greatest fear. "Ye an me can get thon wee placie, can't we, George? You an me can gae there an live fine, can we nae, George? Can we?"

Afore George made repon, Candy drappit his heid an luikit doon at the hye. He kent.

Quo George saftly, "—I think I kent frae the verra first. I think I kent we'd niver dae it. He eesed tae like tae hear aboot it sae muckle I got tae thinkin mebbe we wid."

"Then—it's aa aff?" Candy speired soor-like.

George didn't mak repon. Quo he, "I'll wirk ma month an I'll tak ma fifty dollars an I'll bide aa nicht in some flechy doss hoose. Or I'll bide in some poolroom till aabody gings hame. An syne I'll cam back an wirk anither month an I'll hae fifty dollars mair."

Quo Candy, "He's sic a fine chiel. I didna think he'd dae onythin like thon."

George still glowered at Curley's wife. "Lennie niver did it for coorseness," quo he. "Aa the time he did coorse things, bit he niver daen ony o them deliberate." He straichtened up an luikit back at Candy. "Noo lippen. We hae tae tell the lads. They'll hae tae bring him in, I'm thinkin. There's nae wye oot. Mebbe they winna hurt him." He said sherply, "I'm nae gaun tae lat them hurt Lennie. Noo ye lippen. The chiels micht think I wis in on it. I'm

109

gaun tae gyang tae the bunkhoose. Syne in a meenit ye cam
oot an tell the lads aboot her, an I'll cam alang an mak on
like I niver seen her. Will ye dae thon? Sae the lads dinna
think I wis in on it?"

Candy quo, "Aye, George. Of coorse I'll dae thon."

"Aa richt. Gie me a couple o meenits, an ye cam rinnin
oot an tell them as if ye'd jist fand her. I'm awa noo."
George turned an gaed faist oot o the barn.

Auld Candy watched him gae. He luikit helpless back at
Curley's wife, an gradual his sorra an his roose grew inta
wirds. "Ye dampt hoor," quo he viciously. "Ye daen it,
didn't ye? I expeck yer gled. Aabody kent ye'd spyle things.
Ye wis nae gweed. Ye're nae gweed noo." He snochered,
an his vyce shook. "I cud hae hyewed the gairden an washed
dishes fur thon chiels." He wyted, an syne gaed on in a
singsang. And he repeated the auld wirds: "If there wis a
circus or a basebaa game… we cud hae… jist said 'tae hell
wi wirk,' an gaed tae it. Niver sikk naebody's ay or na. An
there'd hae bin grumphies an chuckens… an in the
winter… the wee fat stove… an the rain dingin doon… an
us jist sat thonner." His een blint wi greetin an he turned
and gaed dweebly oot o the barn, an he rubbit his stibbly
fuskers wi his wrist stump.

Ootbye the soun o the game stoppit. There wis a rise o
questionin vyces, the drum o rinnin feet an the chiels
breenged inno the barn. Slim an Carlson an young Whit
an Curley, an Crooks keepin back oot o attention reenge.

110

Candy cam efter them, an hinmaist o aa cam George. George hid pit on his blue denim jaiket an buttoned it, an his blaik hat wis pued weel doon ower his een. The chiels raced aroon the hinmaist staa. Their een fand Curley's wife in the mirk, they stoppit an stude still an luikit.

Syne Slim gaed quaet ower tae her, an he finnt her wrist. Ae thin finger touched her chikk, an his haun gaed unner her slichtly thrawed thrapple an his fingers explored her nape. Fin he stude up the lads thronged near an the spell wis brukken.

O a suddenty Curley cam tae life. "I ken fa daen it," quo he. "Thon muckle bastard daen it. I ken he daen it. Ay— aabody else wis oot there playin shelt sheen." He vrocht hissel intae a roose. "I'm gaun tae get him. I'm gaun fur ma shotgun. I'll kill the muckle bastard masel. I'll sheet him in the wyme. Cam on, ye lads." He ran furious oot o the barn. Quo Carlson, "I'll get ma Luger," an he ran oot as weel.

Slim turned quaet tae George. "I'm thinkin Lennie daen it, aa richt," quo he. "Her thrapple's thrawed. Lennie cud hae daen thon."

George didna mak repon, bit he noddit slaw. His hat wis sae far doon ower his broo that his een wis happit.

Slim gaed on, "Mebbe like thon time in Weed ye wis tellin's aboot."

Again George noddit.

Slim gaed a grue. "Weel, we'll hae tae catch him. Far d'ye think he micht hae gaen?"

It seemed tae tak George a gweed whyle tae lowse his wirds. "He—wid hae gaen sooth," quo he. "We cam frae the north sae he wid hae gaen sooth."

"We'll hae tae catch him," Slim repeatit.

George steppit close. "Cud we mebbe bring him in an they'll jyle him? He's feel, Slim. He'd hae niver daen this tae be coorse."

Slim noddit. "We micht," quo he. "Gin we cud haud Curley in, we micht. Bit Curley's gaun tae wint tae sheet him. Curley's still roosed aboot his haun. An fit if they jyle him an strap him doon an pit him in a cage. Thon's nae gweed, George."

"I ken," quo George, "I ken."

Carlson cam rinnin in. "The bastard's chored ma Luger," he skirled. "It 's nae in ma pyoke." Curley follaed him, an Curley cairriet a shotgun in his gweed haun. Curley wis cauld noo.

"Aa richt, ye lads," quo he. "The blaik's got a shotgun. Ye tak it, Carlson. Fin ye see him, dinnae gie him nae chaunce. Sheet fur his wyme. That'll boo him ower."

Quo Whit excited, "I hinna got a gun."

Quo Curley, "Ye gae intae Soledad an get a bobby. Get Al Wilts, he's the deputy sheriff. Let's awa noo." He turned suspicious-like on George. "Yer comin wi us, lad."

"Aye," quo George. "I'll cam. Bit think, Curley. The puir bastard's feel. Dinna sheet him. He didnae ken fit he wis daein."

"Dinna sheet him?" Curley roared. "He's got Carlson's Luger. Coorse we'll sheet him."

Quo George deebly, "Mebbe Carlson tint his gun."

"I saw it this mornin," Carlson made repon. "Nae, it's bin taen."

Slim stude luikin doon at Curley's wife. Quo he, "Curley—mebbe ye'd better bide here wi yer wife."

Curley's physog reidened. "I'm gaun," quo he. "I'm gaun tae sheet the intimmers ooto thon muckle bastard masel, even gin I anely hae ae haun. I'm gaun tae get him."

Slim turned tae Candy. "Ye bide here wi her then, Candy. The lave o's wid better be gaun."

They meeved awa. George stoppit a meenit aside Candy an they baith luikit doon at the deid quine until Curley cried, "Ye George! Ye bide close wi us sae we dinna think ye'd onythin tae dae wi this."

George meeved slaw efter them, an his feet dragged wechty.

An fin they wir gane, Candy hunkered doon in the hye an watched the physog o Curley's wife. "Puir bastard," quo he, saftsome.

The soun of the chiels dwined awa. The barn wis derkenin gradual, an, in their staas, the shelts shifted their feet an rattled the halter chyne. Auld Candy lay doon in the hye an happit his een wi his airm.

6

The deep green puil o the Salinas River wis still in the late efterneen. Already the sun hid gaen frae the glen tae sclimm up the braes o the Gabilan Bens, an the knowetaps wis reid in the sun. Bit by the puil amang the merkit sycamores, a pleisunt shade hid drappit.

A watter snake sliddered smeethly up the puil, furlin its periscope heid frae side tae side; an it swam the length o the puil an cam tae the shanks o a motionless heron that stude in the shallaes. A seelent heid an beak powked doon an pyked it oot by the heid, an the beak swallaed the wee snake while its tail wyved in a fleerich.

A hyne aff sweesh o wid soundit an a blaw drave throw the taps o the trees like a wave. The sycamore leaves cowped up their siller sides, the broon, dry leaves on the grun skitterin a fyew feet. An raw on raw o teeny-weenie win waves run up the puil's green tap.

As faist as it hid cam, the win deed, an the clearin wis quaet again. The heron stude in the shallaes, nae meevin an wytin. Anither wee watter snake swam up the puil, furlin its periscope heid frae side to side.

O a suddenty Lennie appeared oot o the buss, an he cam as seelent as a creepin bear meeves. The heron threwsh the air wi its wings, heistit itsel clear o the watter an flew aff doon river. The wee snake sliddered in amang the seggs at the puil's side.

Lennie cam quaet tae the puil's edge. He knelt doon an drank, bare touchin his lips tae the watter. Fin a wee birdie skittered ower the dry leaves ahin him, his heid yarked up an he strained tae the airt o the soun wi his een an lugs until he saw the birdie, an syne he drappit his heid an drank again.

Fin he wis feenished, he dowpit doon on the bank, wi his side tae the puil, sae that he cud watch the trail's incam. He bosied his knees an laid his chin doon on them.

The licht sclimmed on oot o the glen, an as it gaed, the taps o the bens seemed tae bleeze wi a growin brichtness.

Lennie quo saftly, "I didna forget, nae fears. By god I didna! Hide in the buss an wyte fur George." He rugged his hat doon low ower his een. "George's gaun tae gie me laldy," quo he. "George's gaun tae wish he wis alane an nae hae me deavin him." He turned his heid an luikit at the bricht ben taps. "I can ging richt aff there an finn a cave," he muttered. An he cairriet on real waesome, "-an niver hae nae ketchup—bit I winna fash masel. Gin George disnae wint me… I'll ging awa. I'll ging awa."

An syne frae oot o Lennie's heid there cam a wee creashie auld wumman. She wore thick bull's-ee glaisses an she wore a muckle gingham peenie wi pooches an she wis sterched an clean. She stude afore Lennie an pit her hauns on her hochs, an she glowered disappyntit at him.

An fin she spakk, it wis in Lennie's vyce. "I telt ye an telt ye. I telt ye an telt ye," quo she. "I telt ye, 'Pye heed tae George cause he's sic a braw chiel an he's gweed tae ye.' Bit ye dinna iver pye ony attention. Ye dae coorse things."

An Lennie made repon, "I ettled tae, Aunt Clara. I ettled tae an ettled tae. I cudna help it."

"Ye niver gie a thocht tae George," she gaed on in Lennie's vyce. "He's bin daein fine things fur ye aa the time. Fin he got a daud o pie ye aywis got hauf or mair than hauf. An if there wis ony ketchup, weel he'd gie it aa tae ye."

"I ken," quo Lennie disjaskit. "I ettled, Aunt Clara. I ettled an ettled."

She brak in on him. "Aa the time he cud hae hid sic a gweed time gin it wisnae fur ye. He cud hae taen his pye an raised hell in a hoor hoose, an he cud hae dowped doon in a pool room an played snooker. Bit he'd aye tae tak tent o ye."

Lennie maened wi grue. "I ken, Aunt Clara. I'll ging richt aff intae the knowes an I'll finna cave an I'll bide there masel sae I winna be nae mair tribble tae George"

"Ye jist say thon," quo she sherply. "Yer aywis sayin thon, an ye ken ye dampt vratch that yer niver gaun tae dae it.

Ye'll jist hing aroon an gie mishanter eftir mishanter tae George aa the time."

Quo Lennie, "I micht jist as weel ging awa. George winna lat me tak tent o nae mappies noo."

Aunt Clara wis gaen, an ooto Lennie's heid there cam a bobbydazzler o a mappie. It sat on its hunkers afore him, an it wagglit its lugs an runkled its snoot at him. An it spakk in Lennie's vyce as weel.

"Tak tent o mappies," quo it scornfu-like. "Ye glaikit bastard. Yer nae fit tae lick the buits o nae mappie. Ye'd forget aboot them an let them ging hungeret. Thon's fit ye'd dae. An syne fit wid George think?"

"I widnae forget," quo Lennie, lood.

"The hell ye widnae," quo the mappie. "Yer nae wirth the price o a nail tae haimmer ye intae hell. Gweed kens, George's daen aathin he cud tae heist ye ooto the keech, bit it disnae dae nae gweed. Gin ye think George is gaun tae lat ye tak tent o the mappies yer even feeler than ordnar. He's nae. He's gaun tae threwsh the hell ooto ye wi a stick, thon's fit he's gaun tae dae."

Noo Lennie quo, roosed, "He winna tho. George winna dae onythin like thon. I've kent George since—I canna myne fan—an he's niver raised his haun tae me wi a stick. He's fine tae me. He nae gaun tae be coorse."

"Weel, he's scunnert o ye," quo the mappie. "He's gaun tae threwsh ye an syne ging awa an leave ye."

"He winna," Lennie cried, by hissel. "He winna dae ony-thin like thon. I ken George. Me an him traivel thegether."

But the mappie repeatit saftly ower an ower, "He's gaun tae leave ye, ye glaikit bastard. He's gaun tae leave ye aa alane. He's gaun tae leave ye, ye feel bastard."

Lennie pit his hauns ower his lugs. "He's nae, I tell ye he's nae." An he cried, "Och! George—George—George!"

George cam quaet ooto the buss an the mappie hashed back intae Lennie's harns.

Quo Georg, saftly, "Fit the hell are ye skirlin aboot?"

Lennie raise up on his knees. "Yer nae gaun tae leave me, are ye George? I ken yer nae."

George cam stiffly nearhaun an hunkered doon aside him. "Na."

"I kent it," Lennie cried. "Yer nae like thon."

George wis seelent.

Quo Lennie, "George."

"Ay?"

"I've daen anither coorse thing."

"It disnae mak ony difference,"quo George, an he fell seelent again.

Anely the tapmaist ridges wir in the sun noo. The shadda in the glen wis blue an saft. Frae hyne awa, cam the soun of chiels skirlin tae ane anither. George turned his heid an lippened tae the skreichs.

Quo Lennie, "George."

"Ay?"

"Are ye nae gaun tae gie me hell?"

"Gie ye hell?"

"Aye, like ye've aywis daen afore. Like, 'Gin I didnae hae ye, I'd tak ma fifty dollars—'"

"God Almichty, Lennie! Ye canna mynd onythin that happens, bit ye mynd ilkie wird I say."

"Weel, are ye nae gaun tae say it?"

George shook hissel. Quo he widdenly, "Gin I wis alane I cud live sae easy." His vyce wis monotonous, hid nae emphasis. "I cud get wirk an nae hae ony scutter." He stoppit.

"Ging on," quo Lennie. "An fin the eyn o the month cam—"

"An fin the eyn o the month cam I cud tak ma fifty dollars an gae tae a… doss hoose…" He stoppit again.

Lennie luikit eager at him. "Ging on, George. Are ye nae gaun tae gie me nae mair hell?"

"Na," quo George.

"Weel, I can ging awa," quo Lennie. "I'll ging richt aff in the bens an fin a cave gin ye dinna wint me."

George shook hissel again. "Na," quo he. "I wint ye tae bide here wi me."

Quo Lennie sleekit-like—"Tell me like ye've telt me afore."

"Tell ye fit?"

"Aboot the ither lads an aboot us."

Quo George, "Lads like us hae nae faimly. They mak a suppie siller an syne they blaw it aa. They hinna got onybody in the warld that gies a tippeny toot aboot them—"

"*Bit nae us*," quo Lennie blythely. "Spikk aboot us noo."

George wis quaet fur a meenit. "Bit nae us," quo he.

"Because—"

"Because I hae ye an—"

"An I hae ye. We hae each ither, thon's fit, that gies a tippeny toot aboot us," Lennie cried in triumph.

The wee gloamin win blew ower the clearin an the leaves reeshled an the win waves rin up the green puil. An the skreich of chiels soundit again, this time much nearer than afore.

George tuik aff his hat. Quo he, shakkily, "Tak aff yer hat, Lennie. The air feels fine."

Lennie tuik his hat aff, dutifu, an laid it on the grun afore him. The shadda in the glen wis bluer, an the evenin cam faist. On the win the soun o crashin in the buss cam tae them.

Quo Lennie, "Tell me foo it's gaun tae be."

George hid bin lippenin tae the hyne aff souns. Fur a meenit he wis business-like. "Luik ower the watter, Lennie, an I'll tell ye sae ye can near see it."

Lennie turned his heid an luikit aff ower the puil an up the derkenin braes o the Gabilans. "We're gaun tae get a wee placie," George stertit. He raxxed in his side pooch an brocht oot Carlson's Luger; he snappit aff the safety, an the haun an gun lay on the grun ahin Lennie's back. He luikit at the back o Lennie's heid, at the airt far the rig bane an the skull wir jyned.

A chiel's vyce cried frae up the watter, an anither chiel made repon.

"Gae on," quo Lennie.

George raised the gun an his haun shook, an he drappit his haun tae the grun again.

"Gae on," quo Lennie. "Foo it's gaun tae be. We're gaun tae get a wee placie."

"We'll hae a coo," quo George. "An we'll mebbe hae a grumphie an chuckens… an doon on the flat grun we'll hae a… wee swatch o alfalfa—"

"Fur the mappies," Lennie skreiched.

"Fur the mappies," George repeatit.

"An I get tae tak tent o the mappies."

"An ye get tae tak tent o the mappies."

Lennie keckled wi blytheness. "An live on the fat o the lan."

"Aye."

Lennie turned his heid.

"Na, Lennie. Luik doon there ower the watter, like ye can near see the placie."

Lennie did fit he wis telt. George luikit doon at the gun.

There wir crashin fitsteps in the buss noo. George turned an luikit tae thon airt.

"Ging on, George. Fan are we gaun tae dae it?"

"Gaun tae dae it sune."

"Me an you."

"You… an me. Aabody's gaun tae be nice tae ye. There's gaun tae be nae mair tribble. Naebody's gaun tae hurt naebody nor chore frae them."

Quo Lennie, "I thocht ye wis roosed at me, George."

"Na," quo George. "Na, Lennie. I'm nae roosed. I've niver bin roosed, an I'm nae noo. Thon's the thing I wint ye tae ken."

The voyces cam nearhaun noo. George heistit the gun an lippened tae the vyces.

Lennie prigged, "Lat's dae it noo. Lat's get thon placie noo."

"Aye, richt noo. I hae tae. We hae tae."

An George heistit the gun an steadied it, an he brocht the muzzle o it near tae the back o Lennie's heid. The haun shook forcey, bit his physog set an his haun steadied. He pued the trigger. The knell o the shot rang up the bens an rang doon again. Lennie chittered, an syne sattled slawly forrit tae the san, an he lay wioot shakkin.

George shivered an luikit at the gun, an syne he haived it frae him, back up on the bank, near the howp o auld aisse.

The buss seemed fu o cries an wi the soun o rinnin feet. Slim's vyce skreiched. "George. Fit's gaun on, George?"

Bit George sat stiff on the bank an luikit at his richt haun that hid haived the gun awa. The lads breenged inno the clearin, an Curley wis aheid. He saw Lennie sprauchled on the san. "Got him, by God." He gaed ower an luikit doon at Lennie, an syne he luikit back at George. "Richt in the back o the heid," quo he saftly.

Slim cam direck tae George an hunkered doon aside him, affa close tae him. "Niver ye mind," quo Slim. "A chiel's got tae, whyles."

Bit Carlson wis staunin ower George. "Foo'd ye dae it?" he speired.

"I jist daen it," quo George, ferfochan.

"Did he hae ma gun?"

"Aye. He hid yer gun."

"An ye got it awa frae him an ye tuik it an ye killt him?"

"Aye. Thon's foo." George's vyce wis nearhaun a fusper. He luikit steady at his richt haun that had held the gun.

Slim rugged on George's elbuck. "Cam on, George. Me an ye'll ging in an get a drink."

George let hissel be helped tae his feet. "Aye, a drink."

Quo Slim, "Ye hid tae, George. I sweir ye hid tae. Cam on wi me." He led George up tae the stert o the trail an up tae the highwye.

Curley an Carlson luikit efter them. An quo Carlson, "Noo fit the hell d'ye jalouse is wrang wi thon twa lads?"

THE END

Lightning Source UK Ltd.
Milton Keynes UK
UKHW011252091118
332056UK00001B/24/P